Jairo Nicolau

Representantes de quem?

Os (des)caminhos do seu voto da urna
à Câmara dos Deputados

Copyright © 2017, Jairo Nicolau

Copyright desta edição © 2017:
Jorge Zahar Editor Ltda.
rua Marquês de S. Vicente 99 – 1º | 22451-041 Rio de Janeiro, RJ
tel (21) 2529-4750 | fax (21) 2529-4787
editora@zahar.com.br | www.zahar.com.br

Todos os direitos reservados.
A reprodução não autorizada desta publicação, no todo
ou em parte, constitui violação de direitos autorais. (Lei 9.610/98)

Grafia atualizada respeitando o novo
Acordo Ortográfico da Língua Portuguesa

Preparação: Angela Ramalho Vianna
Revisão: Nina Lua, Carolina Menegassi Leocadio
Capa: Tereza Bettinardi

CIP-Brasil. Catalogação na fonte
Sindicato Nacional dos Editores de Livros, RJ

N548r
Nicolau, Jairo
Representantes de quem?: os (des)caminhos do seu voto da urna à Câmara dos Deputados/Jairo Nicolau. – 1.ed. – Rio de Janeiro: Zahar, 2017.

il.

Inclui bibliografia
Glossário
ISBN 978-85-378-1612-7

1. Ciência política. 2. Eleições – Brasil. 3. Voto – Brasil. I. Título.

CDD: 320
CDU: 32

16-37979

Sumário

Um breve glossário 9

Introdução 13

1. Por que alguns deputados são eleitos com menos votos do que outros candidatos, que não se elegem? 21

    Os cinco passos da representação proporcional no Brasil 23
    Um exemplo: a eleição de deputados federais no Rio de Janeiro em 2014 36

2. Por que o voto em um candidato liberal ajudou a eleger uma deputada comunista? 47

    O uso generalizado das coligações nas eleições de 2014 52
    As coligações realmente beneficiam os pequenos partidos? 56

3. Como escolher um deputado federal? 62

    "Em quem você votou para deputado?" 64
    O partido importa na escolha do eleitor? 67
    O voto para deputado é alinhado ao voto para presidente? 73

4. Como o Brasil passou a ter o Legislativo mais fragmentado do mundo? 77

    A migração partidária 78
    A fragmentação partidária 88

5. Por que o voto de um eleitor de Roraima vale nove vezes o voto de um eleitor paulista?   96

   A representação dos estados na Câmara dos Deputados brasileira   100
   Distribuição de cadeiras da Câmara dos Deputados brasileira: do Império aos anos 1930   104
   Distribuição de cadeiras da Câmara dos Deputados brasileira: de 1945 a 2014   111

6. Reforma política no Brasil: uma breve história   119

   Os três ciclos do debate sobre o sistema eleitoral   123
   Por que a reforma do sistema eleitoral não acontece?   135

7. Uma reforma da legislação eleitoral e partidária para o Brasil   138

   Qual sistema eleitoral?   141
   Registro de partidos, acesso ao tempo de rádio e TV e ao Fundo Partidário   150
   Perda de mandato para os políticos que abandonam o partido pelo qual foram eleitos   154
   Correção periódica das bancadas dos estados na Câmara dos Deputados   155

Anexos   159

   Anexo 1. Percentual de votos necessários para um partido participar da distribuição de cadeiras na Câmara dos Deputados (2014)   159
   Anexo 2. Votação do sistema misto na Assembleia Nacional Constituinte (1988)   160

Anexo 3. Votação da lista fechada (Câmara dos Deputados,
abril de 2007)   161
Anexo 4. Votação do distritão (Câmara dos Deputados,
maio de 2015)   162
Anexo 5. Partidos brasileiros registrados em 2016   163
Anexo 6. Lista de partidos extintos que concorreram em pelo
menos uma eleição no período 1985-2016   165

Notas   167
Referências bibliográficas   171
Agradecimentos   175

Um breve glossário

As remissões para outras entradas são indicadas pelo uso do *itálico*.

Cláusula de barreira: Patamar mínimo de votos que um partido precisa ultrapassar para participar da distribuição de cadeiras do Legislativo. Pode ser adotado em âmbito nacional ou regional. A mais conhecida, de 5%, é adotada na Alemanha. O assunto é abordado principalmente no Capítulo 6.

Cláusula de desempenho: Patamar mínimo de votos que um partido precisa ultrapassar para ter acesso a recursos do *Fundo Partidário*, ao horário político e a benefícios no Legislativo. Diferentemente da *cláusula de barreira*, permite que os partidos que não atingiram o patamar participem da distribuição de cadeiras. O assunto é abordado principalmente no Capítulo 6.

Circunscrição eleitoral: Também chamada de distrito eleitoral, é uma divisão territorial na qual os votos são agregados para fins de distribuição de cadeiras. Por exemplo, os estados são as circunscrições eleitorais nas eleições para deputado federal, deputado estadual, governador e senador. O assunto é abordado principalmente no Capítulo 1.

Coligação: Aliança entre dois ou mais partidos para disputar as eleições. Na disputa para cargos proporcionais (deputados e vereadores) os partidos de uma mesma coligação têm seus votos contados como se fossem um único partido. O assunto é abordado principalmente no Capítulo 2.

Distritão: Sistema majoritário utilizado em *circunscrições eleitorais* (ou distritos eleitorais) que elegem mais de um representante. Cada partido apresenta uma lista de candidatos e o eleitor vota em um único nome. Os candidatos mais votados são eleitos. O assunto é abordado principalmente no Capítulo 6.

Distrital misto: Nome genérico usado no Brasil para os sistemas mistos. Numa eleição para o Legislativo, uma parte dos representantes é eleita segundo uma variante da *representação proporcional* e outra parte, por alguma modalidade de sistema majoritário. O assunto é abordado principalmente no Capítulo 6.

Fundo Partidário: Fundo constituído por recursos de diversas fontes – a principal delas sendo o Orçamento da União – que tem como propósito financiar a atividade dos partidos brasileiros. O assunto é abordado principalmente no Capítulo 6.

Janela partidária: Emenda Constitucional que permitiu que durante um mês de 2016 os políticos mudassem livremente de partido. O assunto é abordado principalmente no Capítulo 6.

Lista: Rol de candidatos apresentado pelos partidos ou *coligações* numa eleição para cargos proporcionais (deputados e vereadores). No meio político é conhecida como *nominata*. O assunto é abordado principalmente no Capítulo 1.

Lista aberta: Modelo de *representação proporcional* em que as cadeiras obtidas por determinado partido ou *coligação* são atribuídas aos candidatos mais votados. O assunto é abordado principalmente no Capítulo 1.

Lista fechada: Modelo de *representação proporcional* no qual os partidos apresentam uma lista de candidatos previamente ordenada e o eleitor vota apenas no partido, e não em candidatos. O assunto é abordado principalmente no Capítulo 6.

Lista flexível: Modelo de *representação proporcional* no qual os partidos apresentam uma lista de candidatos previamente ordenada, mas os eleitores podem votar em candidatos individuais. O assunto é abordado principalmente no Capítulo 6.

Maiores médias: Fórmula utilizada para distribuir as cadeiras das *sobras* no sistema proporcional brasileiro. A votação final de cada partido é dividida pelo total de cadeiras que ele obteve na primeira fase de distribuição, acrescido do número 1 (por exemplo, se um partido obteve sete cadeiras, seus votos são divididos por oito). O assunto é abordado principalmente no Capítulo 1.

Nominata: Nome pelo qual a lista de candidatos é conhecida no meio político. O assunto é abordado principalmente no Capítulo 1.

Quociente eleitoral: Total de votos válidos dividido pelo número de cadeiras de uma *circunscrição eleitoral*. Funciona como *cláusula de barreira* nas eleições de deputado federal, deputado estadual e vereador, pois os partidos que não conseguem atingir o quociente eleitoral têm seus votos desprezados. O assunto é abordado principalmente no Capítulo 1.

Regra da verticalização: Decisão do TSE proibindo que os partidos coligados na disputa presidencial participassem nos estados de *coligações* que apoiassem outros candidatos à Presidência da República. Vigorou nas eleições de 2002 e 2006. O assunto é abordado principalmente no Capítulo 6.

Representação proporcional: Sistema eleitoral no qual cada partido ou *coligação* apresenta uma lista de candidatos. Por intermédio de uma fórmula matemática distribuem-se as cadeiras de uma *circunscrição eleitoral* segundo a proporção de votos obtidos pelos partidos/coligações. Amplamente utilizado em países da Europa, América do Sul e África. O assunto é abordado principalmente no Capítulo 1.

Voto distrital: Sistema majoritário em que o país é dividido em *circunscrições eleitorais* (ou distritos eleitorais), cada uma delas elegendo um representante. Cada partido apresenta um candidato no distrito e o mais votado é eleito deputado. Utilizado no Reino Unido, Estados Unidos, Canadá e Índia. O assunto é abordado principalmente no Capítulo 6.

Votos válidos: Votos dados em partidos e candidatos, ou seja, os votos que não são nulos nem em branco. Servem como base para distribuir as cadeiras nas eleições proporcionais. O assunto é abordado principalmente no Capítulo 1.

Sobras: No processo de distribuição de cadeiras pelo sistema de *representação proporcional*, inicialmente os partidos recebem tantas cadeiras quantas vezes eles atingirem o *quociente eleitoral*. Após essa fase, algumas cadeiras ficam vagas. Estas são conhecidas no meio político brasileiro como as sobras. As cadeiras das sobras são atribuídas aos partidos que fizeram as *maiores médias*. O assunto é abordado principalmente no Capítulo 1.

Introdução

A TARDE E A NOITE DE DOMINGO do dia 17 de abril de 2016 foram diferentes para os brasileiros. Em vez da transmissão dos jogos dos campeonatos estaduais de futebol, dos programas de auditório e jornalísticos, o país parou para assistir na TV a uma das mais dramáticas decisões que a Câmara dos Deputados tomaria em seus quase duzentos anos de história: acolher ou não o pedido de impeachment da presidente Dilma Rousseff. A sessão começou às 14h e terminou quase dez horas depois. Poucos cidadãos do planeta devem ter assistido durante tantas horas a uma deliberação do Legislativo de seu país. Aquele foi um dia histórico, em que os brasileiros tiveram a oportunidade de conhecer cada um de seus 513 representantes na Câmara.

Antes de declarar seu voto, os deputados tiveram a oportunidade de justificá-lo. O que surpreendeu os telespectadores foi que, em lugar de fazer comentários específicos sobre o eventual impedimento da presidente Dilma, muitos deputados evocaram sua própria denominação religiosa ou fizeram menção a Deus, homenagearam seus familiares e citaram os municípios que constituem sua base eleitoral ou o estado pelo qual foram eleitos. A palavra "Deus" apareceu em 48 discursos, e a palavra "filho" foi mencionada por sessenta deputados.

Além do conteúdo das declarações de voto, o comportamento de alguns deputados também ganhou destaque. Durante a campanha eleitoral nos acostumamos a ver alguns candidatos que tentam chamar atenção com atitudes extravagantes. Mas por que fazer isso no plenário da Câmara em dia tão decisivo? Um deputado foi votar com a bandeira enrolada ao pescoço, à maneira das capas de super-heróis; outro compareceu de chapéu; um terceiro, depois de votar, disparou um dispositivo que lançava confetes verdes e amarelos; outro, ainda, levou o filho e queria que este votasse em seu lugar.

Já durante a sessão choveram mensagens nas redes sociais comentando a atitude e o conteúdo das declarações dos deputados. A mais recorrente talvez possa ser resumida em um dos bordões das manifestações populares de 2013 no Brasil: "Eles não me representam." A ideia de não representatividade da Câmara dos Deputados surgiu de diversas maneiras. Numa perspectiva *demográfica*, ficou evidente como é reduzido o número de mulheres, trabalhadores e não brancos entre os deputados. Uma visão *elitista* enfatizou o despreparo e a falta de qualificação dos representantes. E, entre os que privilegiam o ponto de vista *ideológico* da política, predominou um lamento em relação ao número reduzido de representantes de esquerda e até de uma direita mais ilustrada.[1]

Um número menor de observadores buscou nas regras eleitorais a responsabilidade pela "baixa qualificação" dos nossos representantes. Os principais vilões seriam o modelo de financiamento das campanhas vigente no Brasil, o sistema proporcional e a fragilidade dos partidos. Uma versão que ganhou certo apoio sustentava que os deputados seriam pouco representativos porque somente um número reduzido deles teria sido eleito com votos para si mesmos, dependendo da transferência dos votos de outros candidatos.

A verdade é que todos os deputados que surpreenderam o país naquele domingo de abril de 2016 foram eleitos em outubro de 2014 – apenas treze deles eram suplentes e substituíam titulares licenciados no período da votação. Acompanho eleições no Brasil desde 1982 e aprendi quanto a votação para cargos proporcionais é pouco valorizada pelo eleitor. Essas escolhas são as últimas a serem feitas e as primeiras a serem esquecidas. Por isso, por mais paradoxal que possa parecer, sabemos que um número expressivo dos que protestaram contra o que os deputados fizeram na votação do impeachment já não devia se lembrar em quem votou para deputado em 2014, ou, o que é pior, anulou ou deixou seu voto em branco.

O estranhamento dos brasileiros em relação ao comportamento dos deputados federais na seção de votação do impeachment viria se somar a um processo de contínua desconfiança dos eleitores em relação a seus representantes, o que ficara evidente nas jornadas de junho de 2013. Lembro que em uma mesma semana os manifestantes tentaram invadir os locais onde foram realizadas as duas últimas Assembleias Constituintes do Brasil: primeiro, o Palácio Tiradentes no Rio de Janeiro (sede da Constituinte de 1946) e, dois dias depois, a Câmara dos Deputados em Brasília (sede da Constituinte de 1987-88). De lá para cá, os eventos só fizeram aprofundar a distância entre o mundo político e a sociedade brasileira: as investigações da Operação Lava-Jato, com a prisão e averiguação de dezenas de políticos; as denúncias que levaram à cassação do mandato do ex-presidente da Câmara dos Deputados Eduardo Cunha; a crise do PT,* então o mais importante partido do país; o

---

* Para uma lista das siglas dos partidos, ver os Anexos 5 e 6.

doloroso afastamento da presidente Dilma antes de completar dois anos de seu segundo mandato.

Resolvi escrever este livro no dia seguinte à aprovação da abertura do processo de impeachment da presidente Dilma Rousseff na Câmara dos Deputados. A ideia é apresentar ao leitor parte das pesquisas sobre o sistema representativo brasileiro que venho realizando há vinte anos, com a intenção de acrescentar alguns ângulos diferentes à análise das instituições eleitorais e dos partidos no Brasil.

Não tive a pretensão de abarcar todos os aspectos associados à crise da representação política no país – nem teria competência para fazê-lo sozinho –, por isso alguns temas fundamentais nem sequer foram aqui tratados: as regras de financiamento eleitoral; a corrupção que afetou um segmento expressivo da elite do país; a crise entre os poderes; o papel das instituições de controle ante as tradicionais instituições de representação; os fatores contextuais que levaram ao afastamento da presidente Dilma.

Escrevi *Representantes de quem?* pensando nas pessoas que querem saber mais sobre as regras eleitorais, os partidos e o comportamento dos deputados no Brasil, mas não estão interessadas nos debates internos da corporação de estudiosos e nem sempre têm acesso aos resultados das pesquisas acadêmicas. Por isso, procurei reduzir ao máximo as passagens demasiadamente técnicas e os jargões da disciplina. O glossário das páginas 9 a 12 poderá ajudar o leitor a se familiarizar mais agilmente com alguns termos utilizados no livro, e nas notas ofereço algumas referências para quem quiser se aprofundar no tema.

Os sete capítulos deste livro dialogam entre si, mas podem ser lidos de maneira independente. O que os une é o fato de tratarem de diferentes aspectos da representação política no Brasil: sistema eleitoral, representação dos estados na Câmara dos Deputados, comportamento dos eleitores, mudança de partidos de deputados durante o mandato, distribuição de poder parlamentar e reforma política.

Os dois capítulos iniciais descrevem as regras utilizadas para a eleição dos deputados federais no Brasil: o Capítulo 1 mostra os passos que levam da apuração dos votos à distribuição de cadeiras entre os partidos, e o Capítulo 2 explora os efeitos das coligações, que produzem resultados surpreendentes, alguns deles chegando a contrariar "a vontade" do eleitor. Esses dois capítulos se concentram na descrição do processo de escolha dos deputados federais, mas as mesmas regras são utilizadas na eleição de deputados estaduais e vereadores.

O objetivo do Capítulo 3 é conhecer quais fatores os votantes levam em conta nas eleições para a Câmara dos Deputados. Para tanto, exploro os resultados de uma sondagem realizada com eleitores de todo o país em 2014. O capítulo está organizado em torno de três questões: os eleitores lembram em quem votaram para deputado? O partido é importante nessa escolha? O voto para deputado federal se "alinha" ao voto para presidente da República?

O Capítulo 4 trata de duas características que fazem do Brasil um caso singular quando comparado a outras democracias. A primeira é a migração partidária – a transferência dos políticos de um partido para outro, em particular durante o exercício do mandato. O Brasil é, ao lado da Itália, o país em que os políticos mais trocam de legenda no mundo. A segunda característica é a fragmentação partidária, ou seja, a dispersão de poder entre os partidos. Nesse caso, nosso país está solitário: temos o sistema partidário mais fragmentado entre os conhecidos em todas as democracias.

O Capítulo 5 analisa um tema pouco conhecido dos eleitores brasileiros: a desigualdade da representação dos estados na Câmara dos Deputados. Atualmente, São Paulo é o estado que mais perde, ao passo que unidades menores, em particular da região Norte, são as beneficiadas. Enquanto nos capítulos anteriores privilegio as eleições recentes, em especial as de 2014, esse se diferencia por adotar uma dimensão histórica. A ideia é analisar a distribuição de cadeiras da Câmara dos Deputados desde o final do Império.

Os Capítulos 6 e 7 tratam da reforma política, ponto sempre presente no debate público brasileiro desde o começo dos anos 1990. Este é um tema caro para mim, já que tive a oportunidade de acompanhá-lo mais de perto em diversas ocasiões, na Câmara dos Deputados e no Tribunal Superior Eleitoral (TSE). O Capítulo 6 apresenta um balanço das discussões mais importantes sobre o tema nas duas últimas décadas. No Capítulo 7 dou uma série de sugestões para uma eventual reforma política, ou, como prefiro dizer, para o aperfeiçoamento da legislação eleitoral e partidária no Brasil.

Neste livro, deixei que minhas preferências aflorassem mais que de costume. Como qualquer cidadão, tenho minha visão acerca da "boa política", e ela está presente em todo o livro. Acredito que podemos melhorar o sistema eleitoral a fim de torná-lo mais inteligível para os eleitores, e sobretudo para suprimir a adulteração da vontade eleitoral promovida pelas coligações. Imagino que possamos ter partidos mais consistentes, que ajudem a organizar melhor a competição política e o trabalho parlamentar. Penso que a mudança de legenda não deve ser uma escolha somente do político, quando ele estiver no exercício do mandato, e que devemos estabelecer limites para esses casos. Também julgo que a fragmentação partidária foi longe demais, e é fundamental tomar algumas medidas para reduzi-la.

1. Por que alguns deputados são eleitos com menos votos do que outros candidatos, que não se elegem?

LOGO APÓS AS ELEIÇÕES DE 2010, um motorista de táxi paulistano me deu uma aula sobre o que ele julgava ser o maior problema do sistema eleitoral brasileiro. Depois de mostrar seu desapontamento com o fato de mais de um milhão de pessoas (foram 1.353.820) terem votado no palhaço Tiririca (PR), seu tom passou à indignação porque essa impressionante quantidade de votos ajudou a eleger um candidato do PCdoB (delegado Protógenes) e outro do PT (Vanderlei Siraque). Poucos eleitores de Tiririca deviam saber o que o taxista acabava de revelar: ao votar no palhaço, eles tinham ajudado a eleger um candidato petista. Já outros eleitores, ao votarem na legenda do PT, tiveram seu voto contabilizado para uma aliança que incluía um partido de centro-direita.

Desde que a urna eletrônica foi adotada em todo o território brasileiro nas eleições gerais, em 2002, votar para deputado federal e deputado estadual passou a ser uma atividade relativamente simples.* Diante da urna, o eleitor pode seguir quatro caminhos diferentes. O mais trivial é deixar o voto em branco;

---

*A urna eletrônica já havia sido utilizada em todo o território nacional nas eleições de 2000 para prefeito e vereadores.

para isso, basta apertar a tecla branca. A segunda opção é digitar um número que não corresponda a nenhum dos candidatos ou partidos – por exemplo, 99 – e com isso anular o voto. A terceira opção é digitar o número de um partido e votar "na legenda". Por fim, é possível escolher um candidato específico digitando o seu número.

A simplicidade do ato de votar dá lugar a um sistema complexo de fórmulas, aparentes enigmas (candidatos com muitos votos ficam de fora, enquanto outros, com poucos votos, são eleitos) e informações incorretas ("se mais da metade dos eleitores anular o voto a eleição é invalidada, e terá de haver novo pleito"). Um eleitor comum dificilmente saberá como seu voto para deputado é contado e depois usado para distribuir as cadeiras entre os concorrentes. Alguns eleitores tiveram que aprender porque foram candidatos ou trabalharam em campanhas. Outros talvez tenham lido ou assistido a uma palestra sobre o tema. Mesmo as campanhas promovidas pelo TSE negligenciam essa informação. Mas desconfio que a salutar mudança do processo de apuração dos votos – a passagem do voto em cédula de papel apurado manualmente para a urna eletrônica – contribuiu para aprofundar esse desconhecimento.

Até meados de 1990, ainda na era da cédula de papel, a apuração geralmente era feita em ginásios esportivos e durava muitos dias. Quem teve a oportunidade de ver uma dessas apurações deve se lembrar das fases da contagem de votos. Inicialmente, os votos em branco eram carimbados para evitar que fossem preenchidos de maneira fraudulenta durante o cômputo. Os votos nulos eram separados em uma pilha específica. Podíamos ler os motivos da anulação: de palavras ofensivas contra os políticos até os erros crassos de preenchimento. Depois de contados, os boletins de cada urna eram preenchidos, enviados para níveis superiores de apuração e totalizados.

Hoje, os poderosos computadores da Justiça Eleitoral em Brasília são capazes de proclamar em poucas horas quais foram, entre os milhares de candidatos, os 513 deputados federais eleitos. Apesar de suas virtudes, o sistema computadorizado afastou milhares de cidadãos do processo de apuração e provavelmente contribui para aumentar a ignorância a respeito de como funciona o sistema eleitoral brasileiro.

Mostrarei aqui como os milhões de votos são contados de modo a distribuir as cadeiras da Câmara dos Deputados entre os partidos e candidatos no Brasil. Inicialmente, apresento um quadro geral dos passos que vão da contagem dos votos até a ocupação das cadeiras pelos partidos. A seguir, mostro a aplicação desses passos em um caso específico: as eleições de deputados federais no estado do Rio de Janeiro em 2014.

Os cinco passos da representação proporcional no Brasil*

Para fins didáticos, o processo de distribuição das cadeiras de deputados federais foi dividido em cinco passos. Deve-se ter em mente que todos os passos são realizados no âmbito dos estados (e do Distrito Federal), unidades que elegem os deputados federais no país. (O mesmo procedimento é empregado para a eleição de deputados estaduais e vereadores.

---

* A representação proporcional é utilizada no país desde 1945. Antes dela, muitos sistemas eleitorais foram empregados nas eleições realizadas entre 1824 e 1934. Para a descrição desses sistemas eleitorais, ver Nicolau, 2012a.

Neste último caso, os votos são contabilizados no âmbito municipal.) Para que o leitor tenha uma visão mais precisa de como funciona o sistema eleitoral brasileiro, na seção seguinte (p.36) "aplico" esse passo a passo em um caso em particular: as eleições para a Câmara dos Deputados do estado do Rio de Janeiro em 2014.

Passo 1. Jogar fora os votos nulos e em branco

Qual o destino dos votos nulos e deixados em branco? Para fins de distribuição são considerados apenas os votos em candidatos e partidos, os chamados de votos válidos. Ou seja, os votos nulos e em branco são eliminados e não serão utilizados nos passos subsequentes da distribuição de cadeiras. Portanto, escolher uma dessas duas opções é equivalente a não ter ido votar, é jogar o voto fora.

Alguns eleitores acreditam que anular o voto pode ter alguma serventia. A notícia que circula há anos, e ganhou mais difusão com a internet, é de que, se mais da metade dos eleitores anular o voto, a eleição é cancelada. Uma versão recente, que recebi em uma mensagem de e-mail, diz o seguinte: "O que você não sabe é que, se numa eleição houver maioria de votos nulos, é obrigatório haver novas eleições com candidatos diferentes daqueles que participaram da primeira."

Essa informação, que eventualmente contribuiu para o aumento dos votos nulos em 2014, é incorreta. Não importa o volume de votos nulos numa eleição: ela não será anulada. Se, por exemplo, 60% dos eleitores digitaram números que não correspondem a partidos nem candidatos numa disputa para deputado federal em determinado estado, o único efeito será aumentar a estatística de votos nulos daquele estado. Nada mais.*

Nas eleições de 2014, 15% dos eleitores que foram votar anularam ou apertaram a tecla "Branco" na disputa para a Câmara dos Deputados. Em termos absolutos, esses números também impressionam: do total de 114,9 milhões de eleitores que compareceram às urnas, 10,1 milhões deixaram o voto em branco e 7,5 milhões anularam o voto. A taxa de votos inválidos (somatório de votos em branco e nulos) foi a mais alta desde que se adotou a urna eletrônica em território nacional em eleições gerais – nos três pleitos anteriores, os percentuais foram: 8% (2002), 11% (2006) e 12% (2010).

O Gráfico 1 mostra a evolução do total de votos nulos e em branco em cada uma das 27 unidades da Federação entre 2002 e 2014. Observamos um aumento dos votos inválidos em praticamente todos os estados ao longo do período, com uma intensidade mais acentuada em 2014. Chama atenção o aumento ocorrido nos três maiores estados (São Paulo, Minas Gerais e Rio de Janeiro) em 2014. No estado do Rio de Janeiro, onde a taxa foi mais alta, 21% dos eleitores anularam ou deixaram em branco o voto para deputado federal.

---

* A confusão provavelmente deriva de uma leitura incorreta de dois artigos do Código Eleitoral. No artigo 222 lemos que "é anulável a votação quando viciada de falsidade, fraude, coação, interferência do poder econômico, desvio ou abuso do poder de autoridade em desfavor da liberdade do voto, ou emprego de processo de propaganda ou captação de sufrágios vedado por lei". O artigo 224 diz que, se mais de 50% forem assim anulados, teremos novas eleições. Ou seja, existe uma distinção entre votos anulados (quando há fraude ou interferência do poder econômico) e votos nulos.

GRÁFICO 1. Percentual de votos nulos e em branco nas eleições para a Câmara dos Deputados, por estado (2002-14)

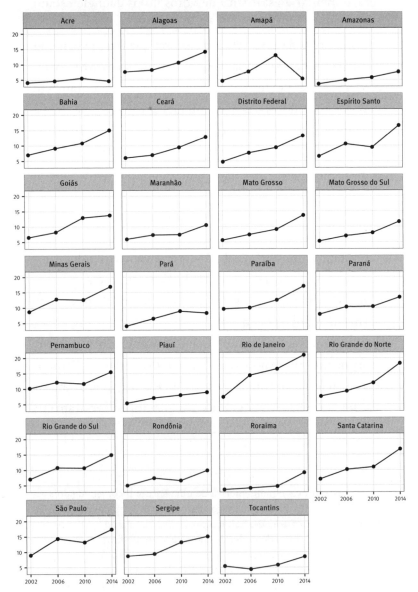

Fonte dos dados brutos: Tribunal Superior Eleitoral.

Passo 2. Somar os votos em candidatos aos votos de legenda de um partido (ou coligação)

Basta ouvir o horário eleitoral gratuito para se dar conta de que um partido pode apresentar mais de um candidato nas eleições para deputado federal, deputado estadual e vereador. Quando pergunto em aulas e seminários sobre como é feita a distribuição de cadeiras entre os candidatos dos partidos em uma disputa para deputado federal, invariavelmente ouço a mesma resposta: os mais votados no estado são eleitos. À pergunta seguinte ("Por que os partidos apresentam vários candidatos?"), também quase sempre ouço a mesma resposta: os partidos apresentam diversos candidatos simplesmente porque existem muitas cadeiras em disputa.

O que boa parte dos eleitores não sabe é que reside justamente aí, na lista de candidatos de cada partido (ou coligação), o aspecto central do sistema eleitoral brasileiro. Antes das eleições, os partidos elaboram uma lista de candidatos, que é conhecida no meio político como nominata. Se dois ou mais partidos estiverem coligados, a nominata é composta por candidatos indicados pelos partidos da coligação. O que significa que, independentemente do número de partidos que componham a coligação, essa será uma lista única. Como veremos, as listas são importantes pois serão a base de cálculo para se saber quantas cadeiras cada partido obterá.

No momento da apuração, os votos dos candidatos (votos nominais) de um determinado partido são somados ao total de votos de legenda que esse mesmo partido obteve. Quando há coligações, o voto de legenda é computado no agregado da coligação e não beneficia um partido individualmente.

GRÁFICO 2. Percentual de votos de legenda dos principais partidos (eleições para a Câmara dos Deputados, 2014)

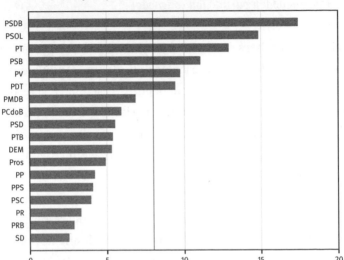

A linha escura indica o percentual nacional (8,4%)
Fonte dos dados brutos: Tribunal Superior Eleitoral.

Desse modo, para a distribuição de cadeiras entre os partidos, não faz diferença se o eleitor votou em um nome ou na legenda. Ambos terão o mesmo destino: definir o total de votos de uma lista, que pode ser um partido concorrendo sozinho ou uma coligação de dois ou mais partidos.

Tradicionalmente, o número de eleitores que votam na legenda é reduzido. Em 2014, foram apenas 8,4%. Mas existe uma razoável variação quando comparamos os partidos. O Gráfico 2 mostra o percentual de votos de legenda obtidos pelos principais partidos nas eleições para a Câmara dos Deputados em 2014.* É interessante observar que os cinco parti-

---

* Nas eleições de 2014 concorreram 32 partidos. Apenas os dezoito partidos que obtiveram mais de 1% estão presentes no Gráfico 2.

dos com os maiores percentuais de voto de legenda – PSDB, PSOL, PT, PSB e PV – apresentaram candidatos a presidente, o que sugere que a campanha presidencial provavelmente tem alguma influência no voto para deputado federal.*

Passo 3. Calcular o quociente eleitoral e eliminar os votos de alguns partidos

Existe uma barreira que o partido deve ultrapassar para que possa disputar as cadeiras em uma eleição para deputado federal. Essa barreira chama-se quociente eleitoral. Seu cálculo é muito simples: basta dividir o total de votos válidos (votos nominais e de legenda) pelo número de cadeiras do estado na Câmara dos Deputados.

Para calcular o quociente eleitoral é preciso saber quantos eleitores compareceram e quantos anularam ou deixaram o voto em branco. Por isso, é impossível saber esse quociente antes da eleição, e dificilmente ele será o mesmo em duas eleições seguidas. Para dar um exemplo, o quociente eleitoral nas eleições para deputado federal em São Paulo foi de 313.892 votos em 2010 e 303.803 em 2014. Mas há um truque que permite estimar o valor do quociente eleitoral em percentuais:

---

* Nas eleições de 1998, nas cidades que utilizaram a urna eletrônica, observou-se um percentual muito mais alto de votos na legenda que nas cidades que votaram em cédula de papel. Os dados são consistentes com a hipótese de que houve erro por parte dos eleitores. Como o número do voto para presidente é o mesmo da legenda do partido, inúmeros eleitores teriam votado na legenda para deputado acreditando que votavam no candidato a presidente (ver Zucco Jr. e Nicolau, 2015). Esse efeito não pôde ser observado em 2014, já que a primeira escolha do voto foi para deputado estadual.

basta dividir 100% pelo número de cadeiras em disputa. No caso de São Paulo, o quociente eleitoral é 1,42% (resultado da divisão de 100 por 70); isso significa que um partido deve ter pelo menos 1,42% de votos válidos para eleger um deputado no estado. São Paulo tem a maior bancada na Câmara dos Deputados e, desse modo, o menor quociente eleitoral do país. No outro extremo estão os estados com oito representantes, onde é necessário obter mais de 12,5% dos votos para eleger um deputado federal. O Anexo 1, no final do volume, mostra o quociente eleitoral de todos os estados brasileiros.

O leitor já deve ter se dado conta de que quanto menos cadeiras tem o estado, mais difícil é para o partido (em termos proporcionais) conquistar uma cadeira. Um partido que recebe, por exemplo, 10% de votos em São Paulo elegerá em torno de sete deputados. Com a mesma votação, um partido em Sergipe – que tem oito cadeiras (quociente eleitoral de 12,5%) – ficaria fora da disputa.*

O que acontece com os votos dados a partidos que não atingem o quociente eleitoral? Eles são desprezados na distribuição de cadeiras, o que faz com que seu destino seja equivalente ao dos votos anulados ou deixados em branco. Um caso recente que chamou a atenção foi o de Luciana Genro, que em 2010 foi candidata a deputada federal pelo PSOL, no Rio Grande do Sul. Apesar de ter sido a quinta individualmente mais votada em seu estado, com 129 mil votos, ela não se elegeu, já que lá seu partido não conseguiu atingir o quociente eleitoral. Todos os votos obtidos pela candidata – e outros dados aos demais can-

---

* O número de cadeiras de cada distrito eleitoral, ou seja, da circunscrição onde os votos são contados para fins de distribuição de cadeiras, é o fator decisivo de um sistema eleitoral (ver Taagepera e Shugart, 1989, p.112-25).

didatos e à legenda do PSOL – foram simplesmente "jogados fora", como se tivessem sido anulados ou deixados em branco. Um somatório simples dos votos dos partidos que não atingiram o quociente eleitoral nas eleições para a Câmara dos Deputados em 2014 mostra um resultado surpreendente: apenas 3% do total de votos válidos foram desperdiçados em âmbito nacional. O Gráfico 3 mostra que o percentual de votos de

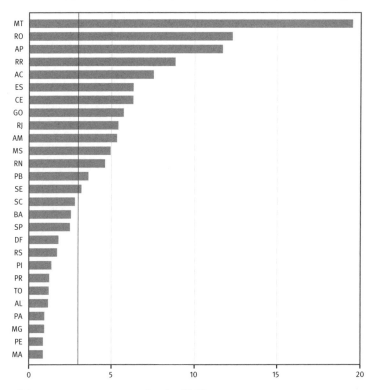

GRÁFICO 3. Total de votos (%) dos partidos que não atingiram o quociente eleitoral, por estado (eleições para a Câmara dos Deputados, 2014)

A linha escura mostra o percentual nacional (3%)
Fonte dos dados brutos: Tribunal Superior Eleitoral.

todos os partidos que não alcançaram o quociente eleitoral somados foi relativamente baixo em muitos estados – apenas no Amapá, em Rondônia e no Mato Grosso o índice ultrapassou os 10%. Nos dois maiores colégios eleitorais, o total de votos desperdiçados foi menor que o total nacional: 2,7% em São Paulo e 0,9% em Minas Gerais.

Vimos que em estados com bancadas menores o quociente eleitoral é proporcionalmente muito alto, o que exige que os partidos recebam uma votação expressiva para não ficar fora da distribuição de cadeiras. Mas em 2014 observamos que em muitos estados com poucos representantes a taxa de votos perdidos foi pequena. No Tocantins, por exemplo, que elege oito deputados e tem um quociente eleitoral de 12,5%, a taxa de votos desperdiçados foi de apenas 1,2%. Isso acontece porque a coligação permite que os partidos juntem seus votos para ultrapassar a barreira do quociente eleitoral. Esse tema será examinado no Capítulo 2.

Em todas as eleições realizadas no planeta alguns partidos não recebem o mínimo de votos necessários para eleger um deputado. Dessa maneira, sempre há alguns eleitores cujo voto não é aproveitado para fins de distribuição de cadeiras. Em países que elegem deputados em circunscrições eleitorais (distritos) de um representante, como o Reino Unido, a taxa de desperdício pode ser muito alta: se em um determinado distrito o mais votado se elege com 40%, por exemplo, o volume de votos desperdiçados chega a 60%. A taxa de 3% de votos desperdiçados observada nas eleições de 2014 no Brasil é provavelmente uma das menores do mundo.*

---

* Não conheço estudos que tenham utilizado os votos desperdiçados num distrito para avaliar a eficácia dos sistemas eleitorais. Meu comentário deriva do conhecimento das regras eleitorais de outras democracias: número

Passo 4. Distribuir as cadeiras entre os partidos

O artigo 45 da Constituição brasileira de 1988 estabelece que a Câmara dos Deputados será eleita pelo sistema proporcional. Proporcional em relação a quê? Em relação à votação obtida pelos partidos/coligações. Para fazer a distribuição de cadeiras entre os concorrentes é necessário lançar mão de uma fórmula matemática. A utilizada no Brasil pressupõe duas fases. A primeira é a divisão dos votos dos partidos/coligações pelo quociente eleitoral: o número resultante mostra quantas cadeiras cada um obterá; ou seja, a cada vez que um partido ultrapassa o quociente, ele conquista uma cadeira.

As chances de que todas as cadeiras sejam ocupadas depois que é feita a divisão pelo quociente eleitoral são ínfimas, já que o resultado da divisão quase nunca é exato, sobrando sempre alguns votos. Imagine, por exemplo, que um partido obteve 73 mil votos e que o quociente eleitoral foi de 70 mil votos; 3 mil votos serão excedentes. Em uma distribuição, todos os partidos terão seus excedentes. Assim, algumas cadeiras acabam não sendo ocupadas.

Vem então a segunda fase: as cadeiras não preenchidas na primeira fase – chamadas no meio político de "sobras" – são ocupadas após uma conta mais complexa. O total de votos de cada partido é dividido pelo número de cadeiras que ele obteve na primeira fase acrescido de 1. Um partido, por exemplo, que elegeu cinco deputados terá os votos totais divididos por 6 (5 + 1). Essa conta é feita para todos os partidos. As cadeiras

---

de cadeiras dos distritos regionais, existência de cláusulas de barreira e fórmulas eleitorais (ver Nicolau, 2012).

das sobras irão para os partidos com as maiores médias, daí o nome pelo qual é conhecida a segunda fase de cálculo: sistema de maiores médias.

Passo 5. Preencher as cadeiras com os candidatos de cada partido

O último passo consiste em distribuir as cadeiras conquistadas pelos partidos/coligações entre os candidatos que concorreram. Nessa etapa é utilizada a regra majoritária: as cadeiras são ocupadas por aqueles que receberam mais votos em cada lista. Os nomes com votação subsequente na série ficam na suplência. Esse formato de eleição de deputados, em que os candidatos de uma lista são escolhidos pelo voto dos eleitores e não previamente pelos dirigentes partidários, é chamado pelos estudiosos de *representação proporcional de lista aberta*.*

No Brasil, como o que importa para a eleição de um candidato é a sua votação em relação a outros nomes que concorrem pelo seu partido/coligação, é frequente que aconteçam

---

*Os sistemas proporcionais têm dois principais modelos de lista. No modelo de lista fechada os partidos ordenam os candidatos antes do pleito, e o eleitor já sabe de antemão a posição de cada candidato. Se um partido elege, por exemplo, três cadeiras, entram os três que foram escolhidos pelo partido para ficar nas três primeiras posições. (No sistema de lista fechada usado na Espanha e em Portugal, por exemplo, os eleitores votam apenas na legenda.) Em contraste, no modelo de lista aberta o partido apresenta a lista de nomes, mas são os eleitores que definem quais nomes serão eleitos. O Brasil utiliza a versão de lista aberta da representação proporcional desde 1945, o que faz com que sejamos o país que adota essa modalidade de sistema eleitoral há mais tempo. Especificamente sobre essa dimensão do sistema eleitoral brasileiro, ver Samuels, 1997; Nicolau, 2006.

disparidades muito acentuadas quando comparamos a votação final dos eleitos. Esse fenômeno acontece com mais frequência quando um único candidato tem uma votação expressiva (ultrapassando com seus votos o quociente eleitoral) e contribui para a eleição de candidatos que obtiveram muito poucos votos. O caso mais extremo aconteceu nas eleições de 2002, quando o médico Vanderlei Assis, morador do Rio de Janeiro, foi eleito deputado federal por São Paulo, pelo Prona, com 275 votos. Três dos seus colegas de bancada também tiveram votações ínfimas: 382, 484 e 673 votos. Com esses números, os representantes de São Paulo teriam dificuldade para se eleger até mesmo como vereador em algumas cidades brasileiras. O fato é que a eleição desses quatro deputados, e mais um, eleito com 18.417 votos, foi possível pela excepcional votação conquistada pelo "puxador de legenda" Enéas Carneiro, que recebeu 1.573.112 votos. Somente com sua votação Enéas ultrapassou o quociente eleitoral (280.297 votos) cinco vezes, o que, além de garantir a sua vaga, permitiu que colegas de chapa também fossem eleitos.

Para o eleitor, acostumado com a lógica simples das eleições para cargos majoritários, é difícil entender que um candidato seja eleito com tão poucos votos, enquanto outro, com mais votos, não se eleja. E essa visão é reforçada pelo modo como se vota atualmente no país. Diante da urna eletrônica, o eleitor escolhe sucessivamente seus candidatos e pode ver a fotografia de cada escolhido na tela. Ora, se ele vota para presidente, governador e senador e o candidato que tem mais votos é eleito, por que a mesma regra não vale para deputados federais e estaduais?*

---

* Nem mesmo a Justiça Eleitoral contribui para que os eleitores entendam que seu voto é agregado ao de outros candidatos do mesmo partido/co-

A falta de informação a respeito da natureza do sistema eleitoral em vigor no Brasil – ele é proporcional, e não uma corrida em que todos os candidatos disputam entre si por algumas vagas – é o fundamento de outra crítica frequente: a ideia de que os eleitos representam uma parcela reduzida dos eleitores, já que a grande maioria teria votado em candidatos que não se elegeram. Algumas vezes o raciocínio vai mais longe e agrega ainda os eleitores que não foram votar e os que anularam ou deixaram o voto em branco.

Precisamos fazer dois reparos a essa crítica. O primeiro é que, ao menos em 2014, o total de candidatos efetivamente eleitos chega a 65% do total de votos nominais. Os suplentes desses deputados receberam 32% dos votos, e os candidatos que concorreram por partidos que não atingiram o quociente eleitoral, apenas 3%. O segundo é que a métrica do sistema proporcional é a eficiência em representar a lista de candidatos, e não os deputados individualmente. Nesse sistema, sempre haverá algum grau de assimetria entre os votos de cada deputado eleito.

Um exemplo: a eleição de deputados federais no Rio de Janeiro em 2014

O Rio de Janeiro tem o terceiro maior eleitorado do país e a terceira maior bancada da Câmara dos Deputados (46 representantes). Nas eleições de 2014, 865 candidatos concorreram por

---

ligação. Nas eleições de 2016 pude observar que, na seção eleitoral, a lista de vereadores era disposta em ordem alfabética, independentemente do partido, e não segmentada por legenda/coligação.

32 partidos. Vinte e três partidos coligaram-se em oito listas diferentes. Assim, dezessete listas concorreram (nove partidos e oito coligações). O quadro geral das eleições fluminenses é apresentado na Tabela 1. A primeira coluna lista os partidos que concorreram sozinhos e as coligações. As duas colunas seguintes mostram, respectivamente, o total e o percentual de votos conquistados.

É importante salientar que, quando comparamos a lista de partidos que participaram das coligações para deputado federal no Rio de Janeiro e como estes partidos se comportaram na disputa presidencial, observamos uma série de inconsistências. Na coligação composta por PMDB/PP/PSC/PSD/PTB, um partido (PSC) tinha candidato próprio à Presidência – Pastor Everaldo –, outro partido (PTB) apoiou Aécio Neves, e os outros três (PMDB, PP e PSD) apoiaram Dilma Rousseff. O PSB tinha candidato próprio à Presidência, mas no Rio de Janeiro coligou-se a dois outros: o PT e o PCdoB, que pertenciam à coalizão de apoio a Dilma. O PPS, apesar de participar da aliança que apoiou Marina Silva para presidente, coligou-se no estado com dois partidos (PSDB e DEM) que nacionalmente participavam da aliança encabeçada por Aécio Neves.

A legislação eleitoral define apenas que as coligações para cargos proporcionais devem ser "alinhadas" com as realizadas para governador.* Assim, um partido que participa de uma

---

* Em quatro das eleições para presidente simultâneas às do Congresso (1994, 1998, 2010 e 2014) predominou o alinhamento com as alianças para governador. Em duas (2002 e 2006) vigorou a chamada regra da *verticalização* dos votos, que proibia que partidos coligados nas disputas para presidente se aliassem, nos estados, a partidos de coligações adversárias.

TABELA 1. Resultado das eleições para deputado federal no Rio de Janeiro (2014)

Partidos e coligações	Votos	% de votos	Cadeiras eleitas pelo quociente eleitoral	Cadeiras eleitas pelas maiores médias (sobras)	Total de cadeiras	% de cadeiras
PMDB/PP/PSC/PSD/PTB	2.760.181	36,0	16	3	19	41,4
PR/Pros	1.232.315	16,1	7	1	8	17,4
PT/PSB/PCdoB	988.338	12,9	5	2	7	15,2
PSOL	531.415	6,9	3	–	3	6,5
PSDB/PPS/DEM	401.119	5,2	2	–	2	4,3
PRB	391.912	5,1	2	–	2	4,3
SD/PSL	362.622	4,7	2	–	2	4,3
PDT	227.702	3,0	1	–	1	2,2
PSDC/PMN/PTC	188.337	2,5	1	–	1	2,2
PRP/PRTB/PPL	174.062	2,3	1	–	1	2,2
PHS/PTN	142.844	1,9	–	–	–	–
PEN	101.516	1,3	–	–	–	–
PTdoB	77.477	1,0	–	–	–	–
PV	70.945	0,9	–	–	–	–
PSTU	13.881	0,2	–	–	–	–
PCB	7.305	0,1	–	–	–	–
PCO	1.467	0,0	–	–	–	–
	7.673.438	100,0	40	6	46	100,0

Fonte: Tribunal Superior Eleitoral.

aliança na disputa para governo de estado tem duas opções na eleição de deputado federal: participar de uma coligação que envolva outros partidos da própria coligação para governador, ou não se coligar. Os partidos não podem fazer alianças "cruzadas" nos estados, ou seja, não podem se coligar com um partido para governador e, na disputa para deputado federal, aliar-se a um partido que faz parte de coligação que apoie outro candidato a governador.

Nas eleições para governador do Rio de Janeiro, por exemplo, quatro partidos (PT, PCdoB, PSB e PV) apoiaram Lindbergh Farias, o candidato do PT. Na Tabela 1 podemos observar que, na disputa para deputado federal, três partidos aliaram-se (PT, PCdoB e PSB) e um deles (PV) concorreu sozinho. O candidato a governador Luiz Fernando Pezão foi apoiado por dezessete partidos, que para deputado federal apresentaram sete listas diferentes: cinco coligações (PMDB/PP/PSC/PTB/PSD; PSDB/PPS/DEM; SD/PSL; PSDC/PMN/PTC; PHS/PTN) e mais dois partidos (PEN e PDT) que concorreram sozinhos.*

Esse é um exemplo claro de uma premissa curiosa da lei sobre as coligações: embora os deputados federais sejam eleitos para exercer seu mandato na esfera nacional, o "alinhamento" previsto pela legislação é definido no âmbito da política estadual.

A verticalização foi implementada por decisão da Justiça Eleitoral e foi derrubada por uma emenda constitucional (ver Marchetti, 2013, p.53-88).
* A lista completa das alianças para governador do Rio de Janeiro em 2014 envolveu 28 partidos. Dezessete legendas apoiaram o candidato eleito, Luiz Fernando Pezão: PMDB, PP, PSC, PTB, PSL, PPS, PTN, DEM, PSDC, PHS, PMN, PTC, PRP, PSDB, PEN, PSD e SD. Três partidos apoiaram Anthony Garotinho (PR, PTdoB e Pros). A aliança do candidato Lindbergh Farias contou com quatro partidos (PT, PV, PSB e PCdoB). Quatro partidos apresentaram candidatos sem estarem coligados (PRB, PSOL, PSTU e PCB).

Passo 1. Jogar fora os votos nulos e em branco

Em 2014, 12.134.443 eleitores estavam inscritos para votar no Rio de Janeiro. Compareceram às urnas 9.693.862 pessoas – uma taxa de comparecimento de 83%, ou, como é costume dizer no Brasil, uma taxa de abstenção de 17%. A taxa de votos inválidos na disputa para a Câmara dos Deputados no estado foi de 21%, a mais alta do Brasil naquela eleição: 929.016 votos em branco e 1.091.408 votos nulos. Eliminando as abstenções e os votos inválidos, chegamos ao total de 7.673.438 votos válidos.

Passo 2. Somar os votos em candidatos aos votos de legenda de um partido (ou coligação)

Apenas 8% dos eleitores fluminenses votaram na legenda. A segunda coluna da Tabela 1 mostra a votação final obtida pelos partidos e coligações, ou seja, o somatório de votos de legenda e nominais de cada uma das listas.

    Um fato a ser destacado é que, quando o eleitor vota na legenda de um partido que está coligado, esse voto não vai especificamente para um candidato do partido escolhido. Na prática, o voto ajuda apenas *a coligação* a obter mais votos. Um eleitor de Marina Silva, por exemplo, que votou na legenda do PSB para deputado federal acabou ajudando a eleger deputados do PT e do PCdoB, e vice-versa. Voltarei a este tema no Capítulo 2.

Passo 3. Calcular o quociente eleitoral e eliminar os votos de alguns partidos

O quociente eleitoral na disputa para deputado federal no Rio de Janeiro em 2014 foi de 166.813 votos (7.673.438 ÷ 46). Oito partidos (dois deles coligados) obtiveram menos do que esse patamar de votos: PHS, PTN, PEN, PTdoB, PV, PSTU, PCB, PCO; juntos, eles receberam apenas 5,4% dos votos. Esses oito partidos foram eliminados e não puderam participar da distribuição de cadeiras.

Observe que, entre os oito partidos que concorreram sozinhos, apenas três foram bem-sucedidos. Coligar-se aumenta as chances de um partido ultrapassar a barreira do quociente eleitoral. Se PEN e PTdoB, por exemplo, tivessem concorrido juntos, eles ultrapassariam o quociente e elegeriam um deputado. Já deve ter ficado claro para o leitor por que a coligação é tão utilizada pelos partidos brasileiros.

Passo 4. Distribuir as cadeiras entre os partidos

Os votos de cada partido são divididos pelo quociente eleitoral. O resultado da divisão é o total de cadeiras que o partido receberá, inicialmente. Por exemplo, a coligação PT, PSB e PCdoB obteve 988.388 votos, o que, dividido pelo quociente, dá 5,9; ou seja, a coligação elegeu cinco deputados e esteve muito próxima de eleger o sexto. O resultado da divisão de cada um dos partidos pelo quociente é apresentado na quarta coluna da Tabela 1. Quarenta cadeiras são preenchidas dessa maneira. As últimas seis (as sobras) são preenchidas pelo sistema de maiores médias.

Após esse passo, percebemos com mais clareza por que o sistema eleitoral usado na eleição de deputados é chamado de representação proporcional. Observamos uma razoável simetria entre a votação de cada partido/coligação e a representação parlamentar obtida por eles. A comparação da terceira coluna (percentual de votos) com a sétima coluna (percentual de cadeiras) da Tabela 1 é ilustrativa. O PSOL, por exemplo, com 6,9% dos votos, ficou com 6,5% das cadeiras.

Passo 5. Preencher as cadeiras com os candidatos de cada partido

O último passo é saber quais candidatos de cada lista ficarão com as cadeiras obtidas. Como vimos, o Brasil utiliza um sistema majoritário para esse fim: as cadeiras são ocupadas pelos candidatos mais votados de cada lista. Para ilustração, apresento os resultados de duas coligações, encabeçadas por PMDB e PT – que para a Presidência concorreram como uma chapa única.

A coligação PMDB/PP/PSC/PTB/PSD apresentou uma lista com 85 nomes. A Tabela 2 mostra apenas os dezesseis eleitos e os cinco primeiros suplentes. O fundamental para um candidato nesse sistema eleitoral é chegar na frente de seus colegas de lista, não importando o partido a que cada um deles pertença. Jair Bolsonaro (PSC), o candidato mais votado da coligação, teve 2,7 vezes o quociente eleitoral. Caso seu partido tivesse saído sozinho, somente com seus votos Bolsonaro teria ajudado a eleger mais um nome (e provavelmente ainda outro

TABELA 2. Votação dos candidatos da coligação PMDB/PP/PSC/PTB/PSD para deputado federal (Rio de Janeiro, 2014)

Candidato	Partido	Situação	Votos
Jair Bolsonaro	PP	eleito pelo quociente eleitoral	464.572
Eduardo Cunha	PMDB	eleito pelo quociente eleitoral	232.708
Leonardo Picciani	PMDB	eleito pelo quociente eleitoral	180.741
Pedro Paulo	PMDB	eleito pelo quociente eleitoral	162.403
Marco Antônio Cabral	PMDB	eleito pelo quociente eleitoral	119.584
Felipe Bornier	PSD	eleito pelo quociente eleitoral	105.517
Sóstenes Cavalcante	PSD	eleito pelo quociente eleitoral	104.697
Washington Reis	PMDB	eleito pelo quociente eleitoral	103.190
Júlio Lopes	PP	eleito pelo quociente eleitoral	96.796
Índio da Costa	PSD	eleito pelo quociente eleitoral	91.523
Cristiane Brasil	PTB	eleita pelo quociente eleitoral	81.817
Simão Sessim	PP	eleito pelo quociente eleitoral	58.825
Celso Pansera	PMDB	eleito pelo quociente eleitoral	58.534
Sergio Zveiter	PSD	eleito pelo quociente eleitoral	57.587
Arolde de Oliveira	PSD	eleito pelo quociente eleitoral	55.380
Alexandre Serfiotis	PSD	eleito pelo quociente eleitoral	48.879
Wanderley de Oliveira	PTB	eleito pelas maiores médias (sobras)	48.874
Soraya dos Santos	PMDB	eleito pelas maiores médias (sobras)	48.204
Fernando Jordão	PMDB	eleito pelas maiores médias (sobras)	47.188
Marcos Mendes	PMDB	suplente	45.581
Walney da Rocha	PTB	suplente	43.656
Celso Jacob	PMDB	suplente	36.614
Laura Carneiro	PTB	suplente	34.550
José Nalin	PMDB	suplente	31.281
Outros (64 nomes)	Diversos	suplentes	279.527
Votos na legenda			121.953
Total de votos			**2.760.181**

Fonte: Tribunal Superior Eleitoral.

nas sobras). Contudo, como seu partido estava coligado, seus votos contribuíram para a eleição de nomes de outras legendas. Vale a pena destacar que, entre os partidos que compunham a chapa encabeçada pelo PMDB, apenas o PTB não participava formalmente da coalizão de apoio à candidatura de Dilma Rousseff à Presidência. Ou seja, todos os outros deputados foram formalmente eleitos para depois garantir apoio ao governo petista na Câmara dos Deputados. Mas, diante da trajetória que alguns dos eleitos percorreram um ano e meio após as eleições, é impossível não reparar no abismo, que com frequência observamos no Brasil, entre o processo de escolha de representantes e o comportamento parlamentar. Entre os dezesseis deputados eleitos na coligação, apenas dois (ambos do PMDB) votaram contra o acolhimento da denúncia do impeachment de Dilma Rousseff na Câmara dos Deputados: Leonardo Picciani, que se tornara líder do governo com forte apoio do Planalto, e Celso Pansera, último ministro da Ciência e Tecnologia do governo Dilma. Eduardo Cunha – e é bom não esquecer que ele também foi eleito pelo PMDB, que participava da coalizão nacional com o PT – se tornaria o presidente da Câmara dos Deputados mais hostil a um chefe do Executivo da história da República e figura central do processo de impedimento da presidente Dilma.

A coligação composta por PT, PCdoB e PSB lançou setenta candidatos e elegeu sete. O resultado final é apresentado na Tabela 3. Uma diferença fundamental é que os candidatos da coligação petista obtiveram em média votações muito menores que os da lista do PMDB. O mais votado, Alessandro Molon, com 87.003 votos, teria chegado em décimo primeiro lugar se estivesse na coligação pemedebista. Mas, apesar

TABELA 3. Votação dos candidatos da coligação PT-PCdoB-PSB para deputado federal (RJ, 2014)

Candidato	Partido	Situação	Votos
Alessandro Molon	PT	eleito pelo quociente eleitoral	87.003
Glauber Braga	PSB	eleito pelo quociente eleitoral	82.236
Jandira Feghali	PCdoB	eleita pelo quociente eleitoral	68.531
Francisco D'Angelo	PT	eleito pelo quociente eleitoral	52.809
Luiz Sergio	PT	eleito pelo quociente eleitoral	48.903
Benedita da Silva	PT	eleita pelo quociente eleitoral	48.163
Fabiano Horta	PT	eleito pelas maiores média (sobras)	37.989
Wadih Damous	PT	suplente	37.814
Dilson Drumond	PSB	suplente	35.463
Jorge Bittar	PT	suplente	30.592
Marcelo Sereno	PT	suplente	24.628
Marcus Pinto	PT	suplente	21.598
Outros (58 nomes)	Diversos	suplentes	205.260
Votos de legenda			207.349
Total de votos			988.338

Fonte: Tribunal Superior Eleitoral.

de receber menos votos nominais, a coligação PT/PCB/PSB obteve mais votos de legenda (207.349 votos), número que ultrapassou o quociente eleitoral e serviu para eleger um deputado.

Fabiano Horta, o último candidato a ser eleito na coligação PT/PCdoB/PSB, recebeu 37.989 votos, número inferior ao obtido por dois suplentes da lista encabeçada pelo PMDB. Dito de outra maneira: se Horta tivesse concorrido pela coligação pemedebista não teria sido eleito e ficaria como terceiro suplente. Essa distorção é apontada por muitos como uma das principais falhas do sistema eleitoral brasileiro e sugere a pergunta que dá título a este capítulo: por que alguns deputados são eleitos com menos votos do que outros candidatos, que não se elegem?

A resposta é simples: o sistema proporcional de lista, na versão utilizada no Brasil, pode apenas "prometer" que cada lista terá uma representação próxima aos seus votos. O número de votos de cada deputado depende de uma série de fatores: o sucesso eventual de alguns nomes que se tornam puxadores de legenda, o padrão de disputa entre os candidatos de uma lista e o total de votos de legenda.

2. Por que o voto em um candidato liberal ajudou a eleger uma deputada comunista?

O PT NÃO CONSEGUIU ELEGER sequer um deputado federal em Pernambuco no pleito de 2014. O fato surpreendeu o meio político, já que em todas as eleições, desde 1994, o partido vinha tendo pelo menos um representante no estado. Uma possível explicação para o insucesso do PT pernambucano é que o PSB – legenda que elegeu o governador e venceu a disputa presidencial no primeiro turno no estado – teria "roubado" os votos petistas. De fato, o PT perdeu votos, caindo de 15,3% em 2010 para 8,6% em 2014. Mas uma conta simples indica que alguma coisa parece estar errada nessa explicação. O estado tem 25 cadeiras na Câmara dos Deputados. Assim, um partido deve obter 4% (100/25) dos votos para eleger alguém. Com os 8,6% que obteve, o PT deveria ter feito pelo menos dois deputados federais. O que explicaria o mistério do desaparecimento das cadeiras do partido?

Em 2014, o PT coligou-se com outros cinco partidos (PTB, PSC, PDT, PRB e PTdoB) na disputa para uma vaga de deputado federal em Pernambuco. No Capítulo 1, vimos que os partidos de uma coligação são considerados uma única lista para fins de distribuição das cadeiras. A coligação da qual o PT fazia parte elegeu seis representantes, com a seguinte distribuição por partido: quatro do PTB, um do PSC e um do PDT.

O insucesso do PT explica-se porque nenhum dos seus nomes conseguiu chegar entre os seis primeiros da lista de candidatos apresentados pela coligação.

Na prática, os votos dados pelos eleitores aos candidatos e à legenda do PT acabaram servindo para eleger nomes de outros partidos da coligação. Diga-se de passagem, o mesmo aconteceu com os eleitores do PSC e do PTdoB. Meses depois, o fracasso eleitoral do PT em Pernambuco assumiria um contorno mais dramático quando o deputado Jorge Real (PTB) – um dos seis eleitos na coligação – votou a favor do acolhimento do processo de impedimento da presidente Dilma.

Vejamos com mais detalhes outros resultados das eleições para deputado federal em Pernambuco em 2014. A Tabela 4 mostra o percentual de votos e de cadeiras obtidos pelos partidos que concorreram no estado. O primeiro aspecto que chama atenção é o uso quase universal das coligações – dos 31 partidos que concorreram, apenas dois (PCB e PSTU) não se coligaram. Assim, só seis listas (quatro coligações e dois partidos) disputaram as cadeiras. Como podemos observar na primeira coluna, todas as coligações pernambucanas foram batizadas com nomes especiais.

Outro aspecto a destacar é a miscelânea ideológica das coligações. A maior delas, a Frente Popular por Pernambuco, contou com a participação de quinze partidos, que participaram de diferentes alianças na disputa presidencial. Para ficar com três exemplos: o PCdoB apoiou Dilma Rousseff, o DEM apoiou Aécio Neves e o PSB era o partido de Marina Silva.

A composição da Frente Popular por Pernambuco é um excelente exemplo de como se dá o processo de transferência de votos entre os partidos coligados no sistema eleitoral brasileiro.

Por que o voto em um candidato liberal ajudou a eleger... 49

TABELA 4. Percentual de votos e cadeiras dos partidos,
eleições para Câmara dos Deputados (Pernambuco, 2014)

Coligação	Partidos	% de votos	% de cadeiras	Diferença entre % de votos e % de cadeiras	Total de cadeiras
Frente Popular de Pernambuco	PSB	27,6	32,0	4,4	8
	PSDB	9,2	12,0	2,8	3
	PP	8,6	4,0	-4,6	1
	PR	6,3	8,0	1,7	2
	PMDB	5,3	4,0	-1,3	1
	PCdoB	2,9	4,0	1,1	1
	PSD	2,3	4,0	1,7	1
	DEM	2,1	4,0	1,9	1
	SD	1,6	-	-1,6	-
	PV	0,5	-	-0,5	-
	PPS	0,9	-	-0,9	-
	Pros	0,2	-	-0,2	-
	PPL	0,2	-	-0,2	-
	PTC	0,0	-	-	-
	PEN	0,0	-	-	-
Pernambuco Vai Mais Longe	PTB	10,4	16,0	5,6	4
	PT	8,6	-	-8,6	-
	PDT	3,1	4,0	0,9	1
	PSC	2,4	4,0	1,6	1
	PRB	1,7	-	-1,7	-
	PTdoB	0,1	-	-0,1	-
Juntos pelo Imposto Único	PSL	2,2	-	-2,2	-
	PHS	1,8	4,0	2,2	1
	PRP	0,6	-	-0,6	-
	PRTB	0,4	-	-0,4	-
	PSDC	0,2	-	-0,2	-
	PTN	0,2	-	-0,2	-
Mobilização por Poder Popular	PSOL	0,4	-	-0,4	-
	PMN	0,2	-	-0,2	-
	PCB	0,2	-	-0,2	-
	PSTU	0,1	-	-0,1	-
Total		100	100	0,0	25

Fonte dos dados brutos: Tribunal Superior Eleitoral.

Um eleitor liberal, ao votar no DEM, acabou ajudando a eleger uma deputada comunista (PCdoB). E vice-versa. Os representantes eleitos foram Luciana Santos (PCdoB) e Mendonça Filho (DEM). Ambos teriam papel fundamental nos debates políticos da legislatura para a qual foram eleitos. A deputada Luciana Santos foi escolhida presidente nacional do seu partido em 2015 e se destacaria como uma das mais importantes defensoras do governo de Dilma Rousseff. Já o deputado Mendonça Filho figurou como um dos principais defensores do processo do impeachment, assumindo, a seguir, o Ministério da Educação do governo Michel Temer.

Três listas conseguiram ultrapassar o quociente eleitoral (4% dos votos) na disputa para deputado federal em Pernambuco. Mas PCB, PSTU, PSOL e PMN, estes dois últimos coligados, não se qualificaram para receber uma cadeira. No entanto, se examinarmos com mais atenção a Tabela 4, veremos que seis partidos elegeram deputados com votações abaixo do quociente eleitoral: PDT (3,1%), PCdoB (2,9%), PSC (2,4%), PSD (2,3%), DEM (2,1%) e PHS (1,8%). Esse dado ganha ainda mais relevância se lembrarmos que o PT, com 8,6%, ultrapassou duas vezes os quociente eleitoral, mas não fez nenhum deputado.

Quando comparamos a votação e as cadeiras dos partidos encontramos outros resultados esdrúxulos. O PR, com 6,3% dos votos, elegeu dois deputados, enquanto o PP, com votação superior (8,6%), elegeu apenas um. O PSL, o partido mais votado da coligação Juntos pelo Imposto Único, perdeu a cadeira para o segundo mais votado, o PHS. Com votações praticamente iguais, o PSDB (9,2%) e o PP (8,6%) elegeram um número discrepante de cadeiras: o primeiro entrou com três deputados e o segundo, com apenas um – mais uma vez vale a pena trazer o caso do

PT à comparação, já que com 8,6% de votos o partido está no mesmo patamar que os outros dois.

Os resultados das eleições para deputado federal em Pernambuco em 2014 mostram como as coligações podem produzir resultados insólitos quando comparamos os votos e a representação dos partidos: legendas com votações semelhantes podem ficar com um número diferente de cadeiras; um partido que se apresenta sozinho necessita ultrapassar o quociente eleitoral para eleger um deputado, enquanto outro que se coliga pode eleger um deputado com votação abaixo do quociente eleitoral; o partido mais votado da coligação pode não eleger um deputado, enquanto outro, menos votado, é bem-sucedido.[1]

Será que os eleitores sabem que as coligações podem gerar esses efeitos negativos sobre a representação partidária? Numa enquete com a turma de graduação em Ciências Sociais da UFRJ, nenhum estudante sabia como são contados os votos de uma coligação. Se eles, que são bem informados e acompanham a política, não sabem, suspeito que este seja um tema praticamente desconhecido dos cidadãos brasileiros.

O fato é que os eleitores não recebem informações claras sobre a composição das coligações partidárias ao longo da campanha eleitoral. A legislação não exige que, em sua propaganda eleitoral, o candidato a deputado federal (ou estadual) liste os partidos de sua coligação; apenas quando existe referência ao governador é necessário listar as legendas da coligação. Na propaganda do horário eleitoral gratuito, os candidatos são apresentados em segmentos partidários, e somente os eleitores mais atentos devem se dar conta de que alguns desses partidos formam uma coligação.

O uso generalizado das coligações nas eleições de 2014

Algumas democracias que utilizam a representação proporcional – Bélgica, Holanda, Suíça, Finlândia e Israel – permitem que os partidos se coliguem para fins de distribuição de cadeiras. Mas há algumas diferenças fundamentais em comparação com a prática das coligações no Brasil. A primeira delas é que um número relativamente reduzido de partidos costuma se coligar, e quase sempre a aliança se dá com partidos ideologicamente próximos. A segunda é que as coligações são decididas nacionalmente, e os partidos concorrem juntos em todas as regiões do país.*

No Brasil, as coligações para deputado federal e estadual são celebradas no âmbito estadual. Assim, os dirigentes dos partidos nos estados têm autonomia para decidir se querem concorrer sozinhos ou coligados, e quais serão seus eventuais parceiros. Desse modo, partidos adversários na disputa presidencial frequentemente se aliam na disputa para uma cadeira de deputado federal, como observamos no caso de Pernambuco e do Rio de Janeiro (Capítulo 1). As incongruências entre as alianças feitas nos dois níveis são um elemento de confusão: o voto em determinada lista conta na mesma medida para partidos que serão aliados e antagônicos ao futuro presidente da República.

As coligações foram permitidas durante o período 1946-64 e amplamente utilizadas pelos partidos, sobretudo de 1950 em

---

* Na Holanda e na Bélgica, países que tradicionalmente permitem as coligações, há uma regra que distribui as cadeiras conquistadas proporcionalmente à votação de cada partido no total da coligação. A Finlândia usa o mesmo processo que o Brasil.

diante. O Regime Militar proibiu-as nas disputas tanto para o Executivo como para o Legislativo, entre outras mudanças que implementou na legislação eleitoral. Com a redemocratização, as coligações passaram a ser permitidas e amplamente utilizadas pelos partidos.

Como já vimos, um partido tem três estratégias possíveis em uma disputa eleitoral no Brasil: não apresentar candidato, concorrer sozinho e coligar-se com outras legendas. O Gráfico 4 mostra a opção feita pelos principais partidos na disputa para a Câmara dos Deputados nas eleições de 2014. Um aspecto que chama atenção é o uso generalizado das coligações. O único partido que não seguiu majoritariamente essa opção foi o PSOL, que concorreu sozinho em quinze estados. Quatro partidos (PSDB, PSD, DEM e PPS) coligaram-se em todos os estados nos quais entraram na disputa, e outros cinco (PP, PR, SD, Pros e PCdoB) concorreram sozinhos em um único estado. PDT e PSC concorreram sozinhos em dois estados; PMDB e PV, em três estados; e PT e PSB, em quatro estados.

Quanto mais amplo for o uso das coligações, maior a probabilidade de observarmos distorções na representação dos partidos. O uso generalizado das coligações em 2014 produziu uma situação extrema em seis unidades da Federação. Em cinco estados (Alagoas, Amapá, Rondônia, Roraima e Sergipe) e no Distrito Federal, nenhum partido conseguiu eleger mais de um representante, ou seja, cada cadeira ficou com um partido. Em Alagoas, por exemplo, as nove cadeiras do estado foram ocupadas por nove diferentes partidos, que participaram de três coligações. Esse caso extremo, de haver oito ou nove cadeiras ocupadas por diferentes partidos, é incomum não só na história das eleições no Brasil como também na de outras democracias.

GRÁFICO 4. Coligações nos estados por partido, Câmara dos Deputados (eleições de 2014)

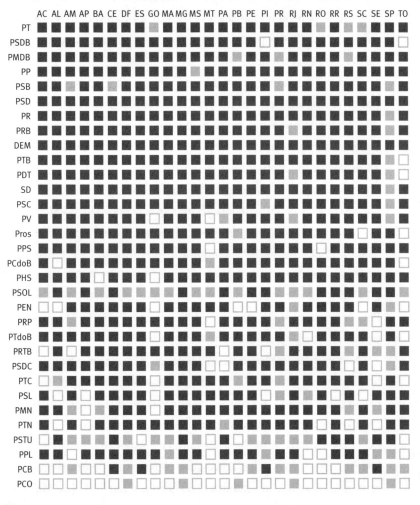

■ Coligado
▨ Não coligado
☐ Não concorreu

Fonte: Tribunal Superior Eleitoral.

O uso generalizado de coligações pelos partidos se refletiu no perfil da Câmara dos Deputados eleita em 2014. Entre os 513 deputados federais, apenas 58 foram eleitos por partidos que se apresentaram sozinhos nas eleições, sendo que mais da metade deles (28) em São Paulo, estado com o maior número de partidos concorrendo sozinhos (ver Gráfico 4).

Por que os partidos têm preferido fazer coligações a lançar sozinhos seus candidatos? Uma primeira razão relaciona-se a uma regra do sistema eleitoral em vigor no Brasil: como vimos no Capítulo 1, o quociente eleitoral funciona como uma barreira nas eleições para deputado e vereador. Se um partido não consegue ultrapassá-la, ele não pode disputar as cadeiras. Isso significa que, na prática, seus votos terão o mesmo destino dos votos nulos e em branco. Nos estados com menor representação, sobretudo naqueles em que o quociente é maior (ver Anexo 1), são reduzidas as chances de que os menores partidos elejam um deputado. Assim, a coligação é a melhor saída para "fugir" dos efeitos de barreira do quociente e não ficar de fora na distribuição das cadeiras.

A segunda razão está associada às negociações feitas pelos dirigentes partidários na disputa para o governo de estado. Os partidos que apresentam candidatos a governador têm um interesse especial em fazer alianças com outras legendas, sobretudo porque o tempo do horário eleitoral gratuito dos partidos se soma. A cada partido agregado na aliança, maior é o tempo de TV para o candidato ao governo do estado.* Na barganha

---

* A lei nº 13.165, de 2015, alterou as regras de distribuição do tempo de TV na campanha para as prefeituras em 2016. Quando há coligação, considera-se apenas a soma dos deputados filiados aos seis maiores partidos aliados.

para a participação na chapa para o Executivo, os partidos que pretendem lançar candidatos muitas vezes oferecem em troca a participação na lista de deputados federais e deputados estaduais. Essa é uma das possíveis explicações de por que os partidos grandes (que teriam bem mais a perder) aceitam fazer coligação para o Legislativo com partidos bem menores.

As coligações realmente beneficiam os pequenos partidos?

Apesar dos resultados imprevisíveis produzidos pelas coligações, há uma avaliação no meio político e entre os estudiosos do sistema eleitoral brasileiro de que elas favorecem os pequenos partidos. A razão é simples: eles "pegariam carona" na votação das grandes legendas e conseguiriam eleger representantes mesmo não atingindo o quociente eleitoral.

Observando com atenção a Tabela 4, veremos que há casos em que acontece justamente o contrário: os maiores partidos é que se beneficiaram dos votos dos pequenos. O SD e o PPS, por exemplo, que participaram da coligação Frente Popular de Pernambuco, não elegeram nenhum representante e acabaram contribuindo com seus votos para a eleição de deputados de partidos maiores. Portanto, os grandes partidos também podem se beneficiar da transferência do voto dos pequenos.

Se as coligações fossem proibidas, quem se beneficiaria, os grandes ou pequenos partidos? Será que teríamos menos partidos representados na Câmara dos Deputados? É impossível saber como ficaria a distribuição de cadeiras do Legislativo se outra fórmula eleitoral estivesse em vigor, já que, nesse caso, eleitores e dirigentes partidários provavelmente tomariam decisões diferentes das que tomam atualmente. De qualquer modo, podemos ter uma pista dos efeitos da regra vigente fazendo uma simulação com os dados das eleições de 2014. Para observar como ficaria a distribuição de cadeiras se outra fórmula fosse utilizada, selecionei os resultados das eleições para deputado federal em Pernambuco, em 2014.* Para fazer a simulação, orientei-me por duas escolhas. A primeira foi tomar os partidos, e não as coligações, como unidade de distribuição das cadeiras. A segunda foi permitir que os partidos que não atingiram o quociente eleitoral pudessem também ter acesso às cadeiras das sobras. Ou seja, a simulação mostra a distribuição de cadeiras numa situação hipotética em que as coligações estariam proibidas, mas os partidos poderiam disputar as sobras, mesmo não tendo atingido o quociente eleitoral.** A Tabela 5 mostra o resultado.

Na quinta coluna observamos o número de cadeiras obtidas pelos partidos nas eleições de 2014 e na sexta coluna como ficaria a distribuição caso o método proposto estivesse em vigor. A comparação entre as duas colunas mostra alguns resultados interessantes. O total de partidos que elegeriam deputados passaria de doze para nove; o PT – o grande prejudicado nas eleições de 2014 no estado – elegeria três deputados, e quatro partidos (PSC, PSD, DEM e PHS) perderiam seus representantes. Uma diferença fundamental é que as cadeiras da simulação

---

* Fazer simulações para observar como ficaria a composição do Legislativo caso outra fórmula eleitoral fosse utilizada é prática comum nos estudos sobre sistemas eleitorais. A ideia é dimensionar os efeitos "mecânicos" de diferentes fórmulas eleitorais (ver, por exemplo, Renwick, 2011, p.76-86).
** As cadeiras foram recalculadas utilizando a fórmula D'Hondt, empregada na maioria dos países que recorrem à representação proporcional (ver Nicolau, 2012a, p.51-8).

TABELA 5. Cadeiras obtidas pelos partidos nas eleições para Câmara dos Deputados, Pernambuco, 2014 (eleições e simulação com novo método)*

Partido	Votos	% de votos	(1) Número de cadeiras nas eleições de 2014	(2) Número de cadeiras com novo método*	Diferença entre (2) e (1)
PSB	1.238.051	27,62	8	9	+1
PTB	465.366	10,38	4	3	−1
PSDB	413.047	9,21	3	3	0
PT	384.699	8,58	−	3	+3
PP	383.674	8,56	1	2	+1
PR	281.583	6,28	2	2	0
PMDB	236.048	5,27	1	1	0
PDT	138.156	3,08	1	1	0
PCdoB	129.290	2,88	1	1	0
PSC	107.856	2,41	1	−	−1
PSD	104.370	2,33	1	−	−1
PSL	97.144	2,17	−	−	−
DEM	92.547	2,06	1	−	−1
PHS	80.710	1,80	1	−	−1
Outros	330.686	7,38	−	−	−
Total	4.483.227	100	25	25	−

* A simulação distribuiu as cadeiras tomando os votos (e não as coligações) como unidade e permitiu que os partidos que não atingiram o quociente eleitoral disputassem as cadeiras das sobras.

Fonte dos dados brutos: Tribunal Superior Eleitoral.

são ocupadas em ordem decrescente, de acordo com a votação dos partidos. Com o novo método é impossível que um partido menos votado obtenha uma cadeira antes de outro com maior número de votos.

Como ficaria a distribuição das cadeiras de toda a Câmara dos Deputados nas eleições de 2014 se o mesmo método fosse empregado em todos os estados? A Tabela 6 mostra os resultados do exercício para todo o país, usando as mesmas regras

Por que o voto em um candidato liberal ajudou a eleger...   59

TABELA 6. Cadeiras obtidas pelos partidos nas eleições para a Câmara dos Deputados em 2014 (eleições e simulação com proibição de coligação)*

Partido	% de votos nas eleições de 2014*	(1) Número de cadeiras nas eleições de 2014	(2) Número de cadeiras com novo método	Diferença entre (2) e (1)
PT	14,0	69	91	+22
PMDB	11,1	65	78	+13
PSDB	11,1	54	62	+8
PSB	6,5	34	39	+5
PP	6,4	38	39	+1
PSD	6,2	36	35	-1
PR	5,8	34	29	-5
PRB	4,6	21	17	-4
DEM	4,2	21	19	-2
PTB	4,0	25	19	-6
PDT	3,6	20	17	-3
SD	2,7	15	10	-5
PSC	2,5	13	10	-3
PV	2,1	8	7	-1
Pros	2,0	11	9	-2
PCdoB	2,0	10	7	-3
PPS	2,0	10	7	-3
PSOL	1,8	5	6	+1
PHS	1,0	5	1	-4
PRP	0,8	3	1	-2
PSL	0,8	1	3	+2
PTdoB	0,8	1	2	+1
PTN	0,7	4	1	-3
PEN	0,7	2	1	-1
PMN	0,5	3	-	-3
PSDC	0,5	2	1	-1
PRTB	0,5	1	2	+1
PTC	0,4	2	-	-2
Outros	0,7	-	-	-
Total de partidos representados	-	28	26	-

* A simulação distribuiu as cadeiras tomando os votos (e não as coligações) como unidade e permitiu que os partidos que não atingiram o quociente eleitoral disputassem as cadeiras das sobras.
Fonte dos dados brutos: Tribunal Superior Eleitoral.

empregadas para simular os resultados de Pernambuco. A comparação entre os resultados das urnas (coluna 3) e a distribuição feita com uso da nova regra (coluna 4) revela que, se substituíssemos o sistema atual por outro que não produzisse as mesmas distorções, o número total de partidos na Câmara dos Deputados praticamente não se modificaria em 2014, passando de 28 para 26. Mas a representação de todos os partidos seria alterada. A principal mudança aconteceria com o PT, que conquistaria 22 cadeiras a mais – o que mostra que o partido foi o maior prejudicado ao fazer uso das coligações em diversos estados. Observamos ainda que a utilização de uma fórmula mais proporcional ampliaria a representação dos outros três partidos mais votados: PMDB, PSDB e PSB. Os quatro maiores partidos ficariam com 48 cadeiras a mais. Por outro lado, praticamente todas as outras legendas perderiam deputados. Os maiores perdedores seriam o PTB, o PR e o SD.

Os dados da Tabela 6 mostram que, sem estabelecer coligação (e mesmo permitindo que os pequenos partidos disputassem as cadeiras das sobras), os maiores partidos tenderiam a concentrar sua representação. Nas eleições de 2014, o PT, o PMDB e o PSDB tiveram, somados, 37% das cadeiras da Câmara dos Deputados. Caso as coligações fossem proibidas (e mesmo com a eliminação da barreira do quociente eleitoral), esse percentual cresceria para 45%.

Os resultados da simulação deixam claro que as coligações em 2014 tiveram como efeito "desidratar" a representação dos maiores partidos e, consequentemente, acabaram por favorecer os partidos menores. Portanto, a resposta à pergunta que abre esta seção, pelo menos para 2014, é afirmativa. As coligações realmente favorecem os partidos menores.

Assim, embora a prática das coligações tenha sido tradicionalmente criticada por beneficiar as pequenas legendas e com isso aprofundar a fragmentação partidária no Legislativo, neste capítulo chamei atenção para um efeito pouco conhecido: as coligações frequentemente produzem resultados esdrúxulos quando comparamos a votação com a representação dos partidos. Da perspectiva da representação proporcional, não há como justificar que um partido que deveria receber três cadeiras fique sem deputados, enquanto outro ocupe cadeiras sem que tenha votos para isso.

3. Como escolher um deputado federal?

Quando vai se aproximando o dia das eleições no Brasil, quem acompanha a política recebe pedidos insólitos de familiares e amigos: "Você pode me dizer em quem eu voto para deputado?", "Tem o nome de algum deputado bom para eu votar?". A falta de informação sobre em quem votar para deputado federal e deputado estadual é generalizada. Por outro lado, não me lembro de ninguém ter me pedido sugestão de nome para presidente ou governador.

Nas semanas que antecedem as eleições, os jornais costumam publicar pesquisas mostrando que um número expressivo de eleitores ainda não escolheu seus candidatos a deputado federal e estadual. Segundo uma sondagem realizada pelo Datafolha em âmbito nacional, duas semanas antes do primeiro turno das eleições de 2014 70% dos eleitores ainda não tinham escolhido candidato a deputado federal. Em contraste, 27% dos eleitores ainda não sabiam em quem votar para presidente – e na opção estimulada, em que são apresentados nomes de candidatos, apenas 7% se declararam indecisos.[1]

O Poder Executivo tem alta centralidade no sistema político brasileiro. Essa centralidade fica evidente durante as campanhas eleitorais. Os meios de comunicação cobrem quase exclusivamente a disputa para presidente e governador – a única menção mais sistemática aos candidatos a cargos proporcionais é a publicação ocasional de perfis de candidatos escolhidos pelos jornais. Os recursos arrecadados pelos comitês dos partidos são investidos majoritariamente nas campanhas para cargos executivos. Os canais de rádio e TV promovem debates ao vivo somente entre os candidatos a presidente e a governador, e muito raramente entre os candidatos ao Senado.

Embora a escolha para os cargos do Executivo seja, aos olhos do eleitorado, a mais importante, os eleitores votam também para o Legislativo. E desde que o sistema de votação eletrônica foi implementado essa manifestação ficou mais importante, já que o eleitor encerra seu voto somente depois de votar para todos os cargos em disputa.* A escolha para deputado federal é particularmente relevante, pois ela é a primeira janela a ser aberta, e só depois de digitar sua preferência o eleitor pode votar para os cargos considerados de maior relevância: presidente e governador.**

Neste capítulo, exploro com mais detalhes algumas dimensões do voto para deputado em 2014, a partir dos dados de uma pesquisa de opinião realizada semanas após o segundo turno.[2] O capítulo está organizado em torno de três perguntas: o elei-

---

*A votação tem início com a liberação da urna eletrônica para cada eleitor individualmente. O eleitor tem necessariamente que digitar algo na urna para chegar ao fim do processo. Quando isso acontece, ele recebe o comprovante de voto e seu título de eleitor. Na era da cédula de papel, o eleitor podia ter uma atitude mais "apática" diante do voto. Trabalhei em eleições durante muitos anos e lembro que era frequente os votantes receberem a cédula, irem até a cabine e voltarem segundos depois para depositar o voto na urna de lona. Eles claramente tinham deixado a cédula toda em branco.
** Nas eleições de 2014, a primeira janela a ser aberta foi a do voto para deputado estadual. Nas anteriores foi a de deputado federal.

tor lembra em quem votou para deputado? O partido político do candidato é importante na escolha? O voto para deputado federal é "alinhado" ao voto para presidente?

"Em quem você votou para deputado?"

Alguns cientistas políticos, como os norte-americanos Robert Dahl, Richard Katz e G. Bingham Powel Jr., conferem às eleições um papel fundamental no funcionamento das democracias modernas.[3] As eleições seriam o momento privilegiado para os eleitores punirem ou recompensarem os representantes (candidatos ou partidos): bons governantes seriam reconduzidos ao poder, enquanto aqueles com desempenho ruim seriam afastados. Uma das virtudes do regime democrático é que ele asseguraria o *controle eleitoral* sobre os governantes. O controle eleitoral é baseado em um elemento retrospectivo, de avaliação dos que já estão no poder. O cidadão, após apreciar o desempenho de um candidato (ou partido) que está à frente de determinado cargo, pode recompensá-lo ou puni-lo na eleição seguinte, votando para a sua reeleição ou não.

A ideia do controle eleitoral parece adequada para analisarmos as disputas para os cargos executivos no Brasil: é fácil identificar o responsável (presidente, governador e prefeito) pelas políticas implementadas. Neste caso, pode ser uma responsabilização de caráter pessoal ("Não gostei do governo do prefeito X e não voto mais nele"), ou mesmo assumir um caráter partidário, como acontece com o PT: "O governo do PT foi bom (ou ruim) porque..." Mas será que ela é apropriada para refletir sobre as escolhas que os eleitores fazem para o Legislativo?

Minha resposta é que não é apropriada. E uma das razões principais é a amnésia eleitoral. Um número significativo de eleitores não se lembra da escolha que fez nas eleições anteriores. Como posso acompanhar o mandato do meu deputado ou partido se não lembro em quem votei? Como posso punir meu deputado na eleição seguinte se esqueci como votei na anterior?

O Estudo Eleitoral Brasileiro (Eseb) é uma pesquisa acadêmica, realizada desde 2002, que entrevista eleitores nas semanas seguintes às eleições gerais. A ideia é saber como os eleitores votaram e avaliar suas atitudes em relação a uma série de temas ligados à política.* Em 2014, as entrevistas foram feitas entre os dias 1º e 19 de novembro. Como o primeiro turno aconteceu no dia 5 de outubro, os eleitores foram ouvidos no máximo até 45 dias após a primeira votação.

Uma das perguntas do Eseb-2014 solicitava aos eleitores que dissessem em quem eles tinham votado para deputado federal. Os resultados são surpreendentes: 46% não lembravam ou não sabiam responder, 33% listaram nomes de algum candidato e 22% disseram ter anulado ou deixado o voto em branco.** A pergunta sobre o voto para deputado estadual teve resultado semelhante: 49% não lembravam ou não sabiam responder, 29% citaram nomes de candidatos e 22% anularam ou deixa-

---

* O Eseb é uma pesquisa acadêmica coordenada pelo Centro de Estudos de Opinião Pública (Cesop) da Unicamp. Em 2014, ele ouviu 3.136 eleitores em todo o território nacional.
** Como o Eseb é uma pesquisa por amostra, as estimativas têm margem de erro. Embora, para facilitar a comunicação, eu faça menção aos números específicos, nos gráficos apresento as barras com as respectivas margens de erro.

ram o voto em branco. É possível comparar as respostas para os dois cargos no Gráfico 5.[4]

A taxa de eleitores que não souberam responder ou que já esqueceram a escolha feita no primeiro turno para os cargos majoritários foi ínfima: apenas 1% para presidente e 6% para governador. Não sabemos se meses depois eles teriam esquecido também em quem votaram nesses casos, mas o fato de cerca de metade dos eleitores já não se lembrar do voto para deputado federal e estadual poucas semanas após o primeiro turno é um sinal da reduzida importância que essa opção tem para eles.

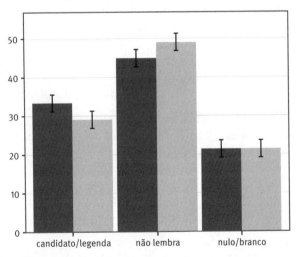

Gráfico 5. Como os eleitores votaram para deputado federal e deputado estadual (eleições de 2014, %)

As linhas verticais na parte superior de cada barra mostram a margem de erro de cada estimativa.

Fonte: Eseb-2014.

Se questionarmos os telespectadores que assistiram perplexos à aprovação do processo de impeachment na Câmara dos Deputados em 17 de abril de 2016, pelo menos metade deles talvez já não se lembre de seu voto nas eleições de 2014. Como reclamar da "baixa qualificação" dos representantes sem saber se seu voto foi justamente para um desses deputados?

Um aspecto do processo eleitoral provavelmente contribui para que os eleitores não se lembrem de seus candidatos: o voto em números. No período em que vigorava a cédula de papel, candidatos e partidos também eram identificados por números, mas o eleitor podia escrever o nome dos candidatos a deputado, e a cédula trazia a lista completa dos postulantes ao governo do estado, ao Senado e à Presidência da República. Com a urna eletrônica, para votar em um candidato ou partido é necessário digitar um número específico. O fato de os eleitores serem incentivados a memorizar o número dos candidatos e das legendas, e não seus respectivos nomes, pode ser mais um elemento que concorre para a amnésia eleitoral. Um eleitor de Aécio Neves, por exemplo, que foi incentivado a digitar o número 45 para deputado, pode não associar diretamente esse voto à legenda do PSDB.

O partido importa na escolha do eleitor?

Em todas as democracias um conjunto de eleitores tem preferência por algum dos partidos. Esse vínculo pode se traduzir em graus diferentes de envolvimento com o partido. Alguns indivíduos são militantes e participam diretamente das atividades partidárias, enquanto outros têm uma simpatia pela legenda que no máximo se traduz em votar nela.

Os institutos de pesquisa brasileiros tradicionalmente perguntam aos eleitores se eles têm preferência por algum partido. Desde o começo dos anos 1990 até 2014, o quadro apresentado por essas pesquisas é mais ou menos o mesmo: cerca de 40% de eleitores citam algum partido de sua predileção.[5] Destes, em torno da metade prefere o PT, enquanto a outra metade é dispersa pelas demais legendas. Raras são as que conseguem ultrapassar 1% das menções.

Para conhecer a preferência dos eleitores pelos partidos, o Eseb-2014 fez a seguinte pergunta: "Existe algum partido político de que o(a) senhor(a) goste mais que os outros?" Para quem respondia positivamente, pedia-se que citasse o nome do partido. Um número expressivo de eleitores (68%) disse que não tinha predileção por qualquer dos partidos. Entre as legendas citadas, apenas três ultrapassaram 1% das menções: PT (18%), PSDB (7%) e PMDB (3%); as outras legendas somadas obtiveram apenas 4% das citações.

Já sabemos que, em 2014, aproximadamente ⅓ dos eleitores declarou gostar de determinado partido. O próximo passo é avaliar se esses eleitores votaram em candidatos (ou na legenda) do mesmo partido. Os Gráficos 6 e 7 mostram como os eleitores que disseram preferir os dois principais partidos (PT e PSDB) fizeram suas escolhas. Entre os que preferiam o PT (Gráfico 6), apenas 13% votaram na legenda ou em candidatos petistas; entre os simpatizantes do PSDB (Gráfico 7), somente 12% votaram na legenda ou em nomes do partido. Vale a pena destacar que o número de simpatizantes dos dois partidos que declararam ter votado em candidatos de outras legendas é muito maior: 35% dos simpatizantes do PSDB e 33% dos que gostam do PT votaram em nomes ou na legenda de outros partidos.

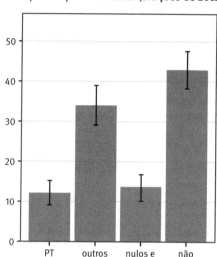

GRÁFICO 6. Como os eleitores que declararam gostar do PT votaram para deputado federal (eleições de 2014, %)

As linhas verticais na parte superior de cada barra mostram a margem de erro de cada estimativa.

Fonte: Eseb-2014.

Se, com base nos dados de 2014, dividirmos o número de eleitores que votam partidariamente para deputado federal pelo total de eleitores – ou seja, se calcularmos os eleitores que têm preferência por um partido e de fato votaram nele para eleger seu deputado federal –, chegaremos a 4%. Um número risível.

Os números da pesquisa Eseb-2014 mostram que, nas eleições para deputado federal em 2014, um número ínfimo de eleitores que preferem um partido votou nos candidatos desse partido (ou na legenda). Portanto, se os partidos contam na escolha apenas para um número reduzido de eleitores, que outros aspectos devem ser considerados na decisão do voto para deputado federal?

GRÁFICO 7. Como os eleitores que declararam gostar do PSDB votaram para deputado federal (eleições de 2014, %)

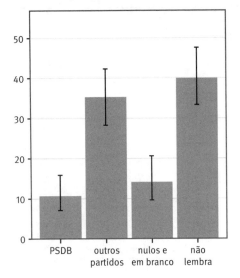

As linhas verticais na parte superior de cada barra mostram a margem de erro de cada estimativa.

Fonte: Eseb-2014.

Infelizmente, não temos pesquisas sobre os fatores privilegiados pelos votantes no momento de escolher seus candidatos para o Legislativo. Mas a enorme autonomia que os postulantes aos cargos de deputado federal, deputado estadual e vereador têm para fazer suas campanhas confere às eleições brasileiras a possibilidade de convivência de diversos tipos de apelo eleitoral. Basta assistir ao horário eleitoral gratuito para ver como é variado o público a quem os candidatos endereçam seu discurso. Tradicionalmente os ouvimos mobilizar a ideia de representação territorial. O propósito é se eleger por determinado município ou área do estado, tornar-se defensor dos interesses dessa área na Câmara dos Deputados "e fazer coisas pelo seu município/região". A esses se somam os candidatos de opinião, os representantes de segmentos específicos (religião, esporte, sindicatos e categorias profissionais) e celebridades.[6]

É um desafio fazer o inventário dos principais motivos que levariam os eleitores a escolher determinados candidatos nas eleições para a Câmara dos Deputados. Minha sugestão é de que, além do voto partidário, haveria outras seis motivações:

- A primeira é decorrente de determinados *atributos pessoais* do candidato (carisma, competência, liderança), revelados na carreira política ou em um campo específico de atuação. Aqui incluo as celebridades do mundo artístico e esportivo, os comunicadores de rádio e TV. O eleitor vota em um nome justamente por ele portar alguma dessas características especiais.
- A segunda motivação está associada ao *território*: "Eu voto no candidato X porque ele vai representar minha cidade, minha região no Legislativo." O sentimento nativista é forte nas cidades do interior, onde a ideia de eleger alguém que se conheça e de preferência que more na região é muito valorizada pelos cidadãos.
- A terceira seria fruto de um *voto de identidade*: o eleitor escolhe um candidato que pertence ao mesmo segmento que o seu. Vota no pastor porque ele é da mesma igreja, no líder do seu sindicato por pertencer à mesma categoria profissional, na liderança comunitária do bairro em que mora.
- A quarta é a *proximidade ideológica* do candidato, particularmente por ele partilhar o mesmo campo político (esquerda ou direita) do eleitor. O voto ideológico é uma espécie de voto de identidade, mas restrito aos grandes temas da economia e da política.

- A quinta é a *defesa de interesses de grupos específicos*. O eleitor escolhe um candidato porque ele é defensor dos direitos dos animais ou faz um trabalho junto a crianças portadoras da síndrome de Down, por exemplo.
- Por fim, haveria a *motivação clientelística*. O eleitor vota no candidato que prestou (ou prestará) algum benefício a ele, à sua família ou ao grupo ao qual ele pertence.

As sete motivações – as seis enumeradas, mais o voto partidário – são modelos que expressam alguns aspectos importantes para eleitores e representantes nas eleições brasileiras. Na prática, elas não são excludentes; vota-se em um candidato da cidade que também é competente; no líder sindical que pertence ao mesmo campo político; no pastor que é da mesma igreja e do mesmo partido. O fundamental é compreender que diversos modelos de representação convivem na política em nosso país.

Um dos aspectos que chamaram atenção de muitos telespectadores durante a sessão que autorizou a abertura do processo de impeachment da presidente Dilma na Câmara dos Deputados foi o fato de inúmeros parlamentares mencionarem municípios, regiões e segmentos específicos. Para os eleitores que escolhem seus representantes pelo vínculo territorial ou por eles pertencerem à sua igreja, não é tão estranho ouvir frases como: "Pela minha cidade, Criciúma, pela maioria do povo do meu estado e por uma esperança para o Brasil, voto sim" ou "Sr. presidente, por minha família, pela família quadrangular e evangélica em todo o Brasil, pelo Pará, eu voto sim".* Os

---

* As frases são as declarações de voto, respectivamente, dos deputados Ronaldo Benedet (PMDB-SC) e Josué Bengston (PTB-PA).

deputados não só se veem como representantes de territórios e categorias em Brasília, como sabem que esses aspectos são importantes para os seus eleitores.

O voto para deputado é alinhado ao voto para presidente?

Um desafio fundamental para o presidente da República brasileiro é conseguir montar e manter o apoio necessário na Câmara e no Senado para aprovar seus projetos. Em decorrência da alta fragmentação partidária, todos os presidentes do atual ciclo democrático tiveram de fazer amplas coalizões no Legislativo para governar. A distribuição do poder partidário no Congresso é fundamental para garantir que o presidente aprove suas propostas. Mas será que os eleitores escolhem seus deputados levando isso em conta? Será que o eleitor escolhe para deputado federal um candidato do mesmo partido ou coligação do presidente?

O leitor deve ter reparado que, entre os sete tipos de motivação para o voto em deputado que enumerei, não há nada que indique uma razão associada ao apoio ao presidente, algo como *voto para garantir a sustentação parlamentar*. Minha impressão é de que essa não é uma preocupação explícita dos eleitores, pelo menos não de um número expressivo deles. Essa preocupação apareceria de maneira indireta entre os eleitores motivados pelo voto partidário e ideológico: simpatizantes do PSDB votariam em Aécio Neves para presidente e em um candidato do seu partido para deputado. Eleitores de esquerda votariam em Dilma Rousseff para presidente e em um candidato de sua coalizão para deputado federal.

O Gráfico 8 considera os dados apurados pelo Eseb-2014 para mostrar em que medida há congruência entre o voto para deputado federal e o voto para presidente em 2014. Para medir a congruência, considerei apenas as respostas dos eleitores que se lembravam de seu voto (voto em determinado candidato ou partido, em branco ou nulo).

Os eleitores *congruentes* são os que votaram no candidato de um partido para deputado federal e no mesmo partido (ou outro que fazia parte da coligação presidencial) para presidente; por exemplo, um eleitor que votou em um nome do PR e em Dilma Rousseff é congruente, já que os dois partidos se coligaram na disputa presidencial. Os eleitores *incongruentes* são aqueles que votam em deputados de um partido que não pertence à mesma coligação que seu candidato a presidente; por exemplo, seria incongruente o eleitor que votou em um deputado federal do PSDB e em Marina Silva para presidente.

Cerca de ¼ dos respondentes votou em candidatos a deputado federal que pertenciam às coligações presidenciais (congruentes), sendo 19% congruentes com Dilma Rousseff, 6% congruentes com Aécio Neves e 1% congruente com Marina Silva e nomes de legendas menores, somados. Cerca de ⅓ dos eleitores votou em candidatos (ou legendas) que não pertenciam à coalizão do candidato à Presidência (incongruentes). A maior parte (40%) anulou ou deixou em branco o voto para deputado.

Embora a base de sustentação no Legislativo seja fundamental para o presidente da República, os números de 2014 mostram que um percentual relativamente reduzido de eleitores votou de maneira congruente. Os dados do Eseb-2014 não permitem dizer nada sobre as motivações dos eleitores. Por

GRÁFICO 8. Congruência (%) entre voto para deputado federal e presidente (eleições de 2014)*

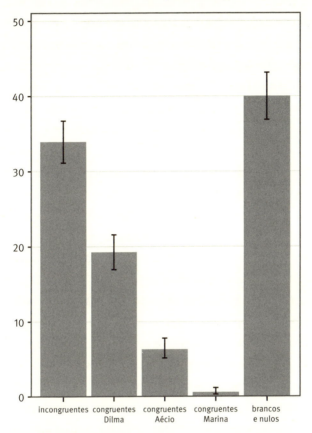

* Os eleitores congruentes são os que votaram em deputado federal de um dos partidos da coligação de seu candidato a presidente. Os eleitores incongruentes são os que votaram em deputado federal de um partido que não fazia parte da coligação de seu candidato a presidente (obs.: os dados excluem os pesquisados que não lembravam em quem tinham votado para deputado federal).

As linhas verticais na parte superior de cada barra mostram a margem de erro de cada estimativa.

Fonte: Eseb-2014.

isso, não sabemos se a congruência de voto observada é fruto de coincidência ou de uma decisão deliberada do eleitor. Considero que decorra dos dois aspectos. Por outro lado, podemos dizer que, para os outros ⅔ de eleitores entrevistados, o voto não tinha como propósito garantir uma base parlamentar para o presidente, já que eles não votaram de maneira congruente.

Para explicar isso, devemos voltar às motivações do voto apresentadas na seção anterior. O sistema eleitoral de lista aberta que vigora no Brasil permite que os candidatos destaquem diferentes aspectos (atributos pessoais, identidade, clientelismo, ideologia, partido, território) em sua relação com os eleitores. Por outro lado, estes últimos respondem privilegiando algumas dessas dimensões na hora de escolher seu representante. Se observarmos com cuidado, veremos que, com exceção do partido e da ideologia, as motivações do voto para deputado giram em torno da pessoa do candidato.

Embora os deputados federais sejam eleitos em campanhas nas quais predomina a ênfase em aspectos territoriais ou de identidade, em Brasília eles se tornam deputados nacionais, saindo dessa abrangência mais local. E têm de enfrentar dois desafios importantes. O primeiro é se coordenar com os colegas de legenda, em geral eleitos por outros estados; os partidos não são importantes para a maioria dos eleitores, mas são centrais na distribuição de poder na Câmara dos Deputados.[7] O segundo desafio é lidar com a legislação e os debates de âmbito nacional, particularmente com as propostas encaminhadas pelo Executivo. O trabalho legislativo *stricto sensu*, realizado nas comissões, nas votações em plenário e na proposição de leis, concentra-se basicamente em temas de abrangência nacional.

4. Como o Brasil passou a ter o Legislativo mais fragmentado do mundo?

O PROPÓSITO DESTE CAPÍTULO é analisar duas dimensões da representação partidária na Câmara dos Deputados. A primeira é a migração partidária: a transferência de um deputado para outra legenda durante o exercício do seu mandato. A segunda é o efeito dessas migrações sobre a composição das bancadas dos partidos. Será que as migrações mudam substancialmente a dispersão de poder (ou a fragmentação partidária, como preferem dizer os cientistas políticos) no Legislativo?

Nos capítulos anteriores observamos que a ideia de que o partido é a unidade fundamental da representação política é esmaecida no Brasil por uma série de fatores. Os eleitores votam nos candidatos achando que o sistema premia os mais votados, mas os votos são agregados em listas. Os eleitores votam na legenda, mas, se o partido está coligado, o voto vai para a "cesta" da coligação, e não para o partido individualmente. O voto em candidatos de um partido que está em determinada posição no espectro político pode ajudar a eleger um representante de outro partido, às vezes do campo oposto. Na dimensão eleitoral, os dados da pesquisa Eseb-2014 examinados no Capítulo 3 mostram que um número muito reduzido de eleitores (em torno de 4%) é partidário, ou seja, vota em candidatos a deputado federal do partido pelo qual tem simpatia.

Embora sejam eleitos num processo no qual os partidos contam muito pouco, ao chegar em Brasília os deputados encontram um ambiente em que os partidos são peças fundamentais do trabalho legislativo. Na Câmara dos Deputados, o poder é distribuído proporcionalmente ao tamanho da bancada de cada legenda. Cabe aos líderes partidários a prerrogativa de indicar (e eventualmente substituir) os parlamentares que participarão das comissões. As votações em plenário também são coordenadas pelos líderes, que indicam como a bancada deve votar. Os partidos recebem ainda recursos especiais, tais como salas e assessores, para realizar suas atividades.

Como sugeriu o título de um artigo, teríamos no Brasil "partidos fracos na arena eleitoral, mas fortes na arena legislativa".[1] Todavia, num aspecto em particular as legendas se mostram frágeis na Câmara dos Deputados: elas são incapazes de manter um número significativo de deputados ao longo do mandato. A migração partidária é uma característica da política brasileira. Não é tarefa fácil encontrar políticos que não tenham trocado pelo menos uma vez de legenda ao longo de sua carreira. Convido o leitor a fazer um teste rápido. Pense em algumas lideranças políticas de seu estado. Quantas delas mantiveram-se fiéis ao mesmo partido nos últimos dez anos?

A migração partidária

A composição da Câmara dos Deputados no dia da votação que acolheu o pedido de impeachment contra a presidente Dilma não era a mesma definida pelas urnas nas eleições de 2014. Passado um ano e meio, 97 deputados (19% do total de 513) já não pertenciam ao partido pelo qual tinham sido eleitos.

O Gráfico 9 mostra o número de deputados de cada legenda que permaneceram ou abandonaram o partido pelo qual foram eleitos em 2014. Os dados são apresentados para cada uma das 28 legendas que elegeram deputados. Todos os partidos,

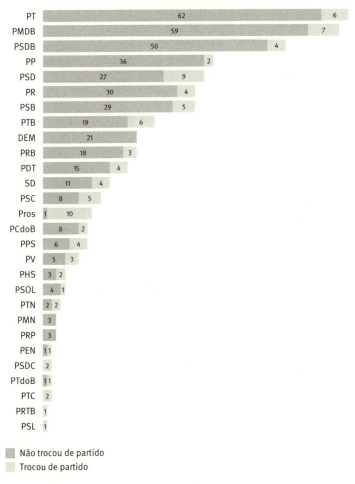

GRÁFICO 9. Migração partidária dos deputados federais eleitos em 2014, abril de 2016

Partido	Não trocou	Trocou
PT	62	6
PMDB	59	7
PSDB	50	4
PP	36	2
PSD	27	9
PR	30	4
PSB	29	5
PTB	19	6
DEM	21	
PRB	18	3
PDT	15	4
SD	11	4
PSC	8	5
Pros	1	10
PCdoB	8	2
PPS	6	4
PV	5	3
PHS	3	2
PSOL	4	1
PTN	2	2
PMN	3	
PRP	3	
PEN	1	1
PSDC	2	
PTdoB	1	1
PTC	2	
PRTB	1	
PSL	1	

Não trocou de partido
Trocou de partido

Fonte: Tribunal Superior Eleitoral, "Número de deputados que trocaram de partido na 55a legislatura", Câmara dos Deputados.

com exceção do DEM, já haviam perdido algum representante. Seis deles (PMN, PRP, PSDC, PTC, PRTB e PSL) haviam perdido a bancada completa, e o Pros, que elegera onze deputados em 2014, ficara com apenas um representante.

As trocas de legenda na Câmara dos Deputados ao longo do tempo são boa amostra de um processo que ocorre em todas as esferas (nacional, estadual e municipal) e abrange políticos eleitos para exercer mandato em todos os cargos. Entre 1986 e 2010 foram eleitos 3.555 deputados federais no Brasil para exercer seus mandatos em sete diferentes legislaturas. Desses, 950 (27% do total) trocaram de partido ao longo do exercício do mandato. O percentual de deputados que abandonaram o partido pelo qual foram eleitos em cada uma das legislaturas está no Gráfico 10. Observe que esses números referem-se apenas ao total de trocas entre os eleitos, desconsiderando as mudanças que envolvem os suplentes.*

Em todas as democracias, ocasionalmente alguns políticos abandonam o partido pelo qual foram eleitos durante o exercício do mandato. No Reino Unido, por exemplo, doze parlamentares da Câmara dos Comuns (2% dos 650 membros) abandonaram o partido na legislatura 2010-15.[2] O que chama atenção no caso brasileiro é a intensidade e a constância das trocas de legenda ao longo do tempo.[3] Entre os países democráticos, somente a Itália tem um fluxo de migração tão intenso quanto o nosso.[4]

Quais são as principais motivações dos políticos para mudar de partido? Creio que há três razões principais para isso. A primeira estaria associada a uma tentativa de *aumentar as chances*

---

*Esse é um cálculo subestimado do fenômeno da migração, porque alguns parlamentares trocam mais de uma vez de partido durante o mandato.

GRÁFICO 10. Percentual de deputados que abandonaram o partido pelo qual foram eleitos (Câmara dos Deputados, 1986-2010)

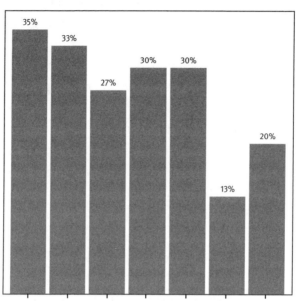

Fonte: Secretaria Geral da Mesa. "Trocas de partido", diversas legislaturas.

de sucesso eleitoral; por exemplo, um deputado transfere-se para uma legenda pela qual será candidato a prefeito, ou em que terá maior probabilidade de ser reeleito. A segunda é o *acesso aos recursos do Executivo*: migrar para partidos que estão na base de sustentação do governo amplia as oportunidades de acesso à patronagem (indicação de aliados para cargos públicos), de ser agraciado pela liberação de recursos do orçamento ou de ser beneficiado por ações do governo federal em seus redutos eleitorais.* A terceira tem a ver com *divergências doutrinárias*:

---

* Frequentemente a imprensa publica matérias que associam a migração partidária a eventuais benefícios financeiros legais (recursos para campanha) ou

o PSOL, por exemplo, nasceu da divergência de um grupo de deputados do PT em relação à posição do partido em uma série de votações no Congresso nos primeiros anos do governo de Luiz Inácio Lula da Silva.

Nos Capítulos 1 e 2 vimos os detalhes do complexo processo de transformação dos votos em cadeiras no Congresso. No sistema eleitoral em vigor no Brasil, aspectos como a regra de coligação e a exigência de ultrapassar o quociente eleitoral podem fazer toda a diferença para o sucesso ou insucesso dos partidos e candidatos. Mas, quando observamos o quanto a migração partidária altera as bancadas definidas pelos eleitores nas urnas, toda a parafernália do sistema eleitoral parece perder o sentido. A milimétrica distribuição de cadeiras resultante das urnas dá lugar a uma nova distribuição de poder determinada pelo simples ato de um deputado inscrever-se numa nova legenda.

Um dado que chama atenção no Gráfico 10 é que, na legislatura 2007-10, observamos um declínio acentuado das migrações partidárias. Essa diminuição é decorrente de uma decisão da Justiça Eleitoral que mudaria a prática das trocas de legenda no Brasil. Em 2007, o PFL fez a seguinte consulta ao Tribunal Superior Eleitoral: "Os partidos e coligações têm o direito de preservar a vaga obtida pelo sistema eleitoral proporcional, quando houver pedido de cancelamento de filiação ou transferência do candidato eleito para outra legenda?"[5]

---

ilegais. Matéria do *Estado de S. Paulo* (28 nov 2015), por exemplo, mostrou que o recém-criado Partido da Mulher Brasileira conseguiu a adesão rápida de vinte deputados – que depois abandonariam a legenda – prometendo vantagens (ver www.estadao.com.br/noticias/geral,partido-da-mulher-gera-polemica-ja-na-estreia,10000003263). A análise dessas denúncias está para além do escopo deste trabalho.

A resposta do TSE foi afirmativa, "concluindo que os partidos políticos e as coligações conservam o direito à vaga obtida pelo sistema eleitoral proporcional, quando houver pedido de cancelamento de filiação ou de transferência do candidato eleito por um partido para outra legenda".[6] A decisão da Justiça Eleitoral abria a possibilidade de o partido reivindicar o mandato do deputado que abandona o partido. Em outubro de 2007, o Supremo Tribunal Federal (STF) determinou que a decisão sobre a fidelidade afetaria somente as trocas de legenda a partir do momento da decisão do TSE (27 de março de 2007); portanto, as mudanças de partido ocorridas entre 1º de fevereiro de 2005 e aquela data não seriam passíveis de punição.[7]

O TSE definiu em que condições o deputado poderia deixar o partido sem ser punido e como as legendas poderiam "pedir de volta" o mandato de um trânsfuga. O parlamentar pode trocar de partido nas seguintes condições: a) quando o seu partido for incorporado ou fundido a outro; b) quando surgir um novo partido; c) quando houver mudança substancial ou desvio reiterado do seu programa partidário; d) quando houver grave discriminação pessoal. A legenda prejudicada tem até trinta dias para reivindicar o mandato do deputado que a abandonou. Caso não o faça, o Ministério Público ou quem tem interesse jurídico (como o suplente) poderá fazê-lo no período de outros trinta dias. As controvérsias sobre a perda de mandato por troca de legenda são julgadas pelo TSE (no caso de deputado federal, senador e presidente) ou pelos Tribunais Regionais Eleitorais, TRE (no caso de prefeitos, vereadores e deputados estaduais).[8]

Pela primeira vez desde o começo da redemocratização, em 1985, os políticos com mandato passaram a receber punição caso trocassem de partido. Com as decisões tomadas pelo TSE e pelo STF, mudamos de um cenário em que os políticos podiam deixar livremente o partido, sem nenhuma restrição (salvo a exigência de estar filiado pelo menos há um ano em uma legenda para concorrer a um cargo), para uma situação em que existem fortes restrições para a troca.

É fundamental não perder de vista o papel que o Judiciário assumiu para arbitrar se as trocas de legenda são justificáveis ou não. Em alguns países, os deputados que mudam de partido são punidos com a perda do mandato.[9] Contudo, pesquisando sobre o tema, não encontrei nenhum caso em que um órgão de fora do mundo legislativo tivesse se transformado em instância para julgar as mudanças de legenda.

Os efeitos da decisão do Judiciário podem ser observados no Gráfico 10, com a acentuada queda no número de trocas na legislatura 2007-2010. Mesmo assim, alguns deputados conseguiram justificar as suas trocas e não perder o mandato. Entre março de 2007 (quando a nova norma passou a vigorar) e o fim da legislatura, 28 deputados tiveram a troca de legenda questionada no TSE, mas apenas dois perderam o mandato – Walter Brito Neto (DEM-PB) e Robson Rodovalho (DEM-DF). Os demais pedidos foram julgados improcedentes ou não foram avaliados a tempo pelo Tribunal.[10]

A última barra do Gráfico 10 mostra outro resultado surpreendente. Na primeira legislatura após a entrada em vigor da regra de fidelidade partidária da Justiça Eleitoral, 20% dos parlamentares mudaram de partido. Com as punições previstas, não era para termos um número tão alto de trocas. O fato é que os políticos encontraram uma nova forma de "burlar" a norma, criando novos partidos; entre eles, destacam-se o

Partido Social Democrático (PSD), o Partido Republicano da Ordem Social (Pros) e o Solidariedade (SD).* A decisão do TSE de março de 2007 restringindo as trocas de legenda foi eficiente para desestimular a migração partidária por quatro anos e meio, mas a partir de setembro 2011, a migração passou a acontecer coletivamente, com a transferência para os novos partidos.

O PSD foi fundado em setembro de 2011, por Gilberto Kassab, ex-prefeito de São Paulo e uma das principais lideranças do DEM, e obteve a adesão de 48 deputados federais (9,8% do total), a grande maioria deles também egressos do DEM. Essa foi a maior migração partidária para uma nova legenda desde a promulgação da Constituição de 1988. Nem a criação do PSDB em 1986 recebeu a inscrição de tantos parlamentares.** Dois anos depois, em setembro de 2013, o Pros e o SD obtiveram o registro a tempo de disputar as eleições do ano seguinte. O Pros recebeu a adesão de 22 deputados federais, e o SD, de dezenove.

Em 18 de fevereiro de 2016, o Congresso Nacional tomaria uma decisão surpreendente, que violaria (ao menos temporariamente) a decisão sobre a fidelidade partidária do TSE. A emenda constitucional nº 91 garantiu que, durante um mês, os políticos poderiam trocar de legenda. O texto de apenas dois parágrafos tem a seguinte redação:

---

* Dois outros partidos foram criados no período: Partido da Pátria Livre (PPL), em 2011, e Partido Ecológico Nacional (PEN), em 2012, mas não tiveram impacto sobre a composição partidária da Câmara dos Deputados. Para os partidos criados no período, ver Gomes, 2016, p.159-91.
** O PSDB recebeu a adesão de 37 deputados, 7,6% do total (ver Nicolau, 1996, p.24).

Art. 1º É facultado ao detentor de mandato eletivo desligar-se do partido pelo qual foi eleito nos trinta dias seguintes à promulgação desta Emenda Constitucional, sem prejuízo do mandato, não sendo essa desfiliação considerada para fins de distribuição dos recursos do Fundo Partidário e de acesso gratuito ao tempo de rádio e televisão.

Art. 2º Esta Emenda Constitucional entra em vigor na data de sua publicação.

Chama atenção o fato de o Congresso Nacional aprovar uma emenda constitucional que trata especificamente da migração partidária e com vigência de apenas um mês. A "janela partidária", como ficaria conhecida no meio político, inovou ao constitucionalizar as trocas de legenda pela primeira vez desde a redemocratização. Na pesquisa acerca da legislação sobre o assunto em outras democracias, verifiquei que há países que proíbem as trocas (Portugal e Índia), mas nenhum que fizesse o contrário: estabelecer regras para elas.

No mês de vigência da Emenda Constitucional nº 91, 53 deputados eleitos em 2014 (e mais quatorze suplentes) trocaram de partido. No começo do capítulo vimos que a composição partidária na seção que autorizou a abertura do processo de impedimento da presidente Dilma Rousseff era bastante diferente da definida pelos eleitores nas urnas em 2014. A janela de março de 2016 foi a principal responsável por essa diferença.

Numa situação em que os deputados não trocam de legenda, as bancadas dos partidos no começo e no fim da legislatura são as mesmas. Não é o que acontece no Brasil. A migração permanente faz com que a composição partidária sofra profundas

GRÁFICO 11. Bancada dos partidos por ano
(Câmara dos Deputados, Brasil, 1995-2014)

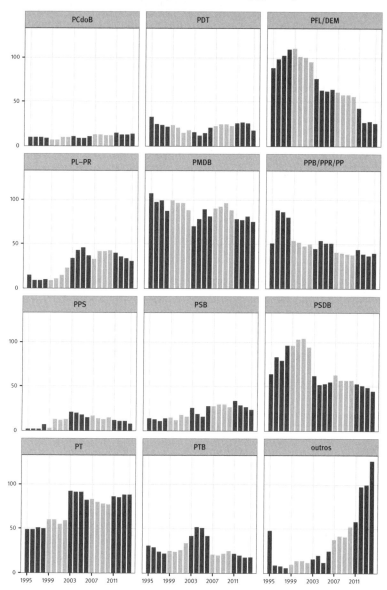

Fonte dos dados brutos: Gomes, 2016, Apêndice A.

alterações ao longo da legislatura. Deve-se ainda acrescentar que parte das mudanças acontece porque alguns deputados eleitos saem de licença e são substituídos por suplentes de outros partidos, mas isso tem muito menos impacto sobre a composição partidária da Câmara dos Deputados.

O Gráfico 11 mostra a composição das bancadas dos onze principais partidos brasileiros ao longo de duas décadas (1995-2014). As bancadas foram eleitas em 1994, 1998, 2002, 2006 e 2010, e as legislaturas são diferenciadas pelos tons das barras. Podemos observar que em todas as legislaturas o total de deputados de cada partido oscilou. Algumas legendas, como o PT e PCdoB, ficaram mais estáveis, outras, como o PFL (posteriormente DEM), sofreram oscilações mais profundas.

Observe o impacto que a criação dos novos partidos teve sobre a legislatura que tomou posse em 2011. Nas eleições de 2010, apenas 42 deputados não pertenciam a uma das onze maiores legendas. No final da legislatura, esse número chegaria a 126. A criação de três partidos (PSD, Pros e SD) afetou a bancada de muitas legendas, em particular a do DEM, que perdeu trinta deputados.

A fragmentação partidária

Os telespectadores que tiveram a paciência de assistir aos discursos dos líderes partidários antes da votação da abertura do impeachment certamente ficaram surpresos com o grande número de partidos representados na Câmara dos Deputados. Vinte e cinco líderes partidários (e mais os líderes da minoria e do governo) fizeram uso da palavra.

O Brasil tem atualmente (2016) um número de partidos representados na Câmara dos Deputados (28) superior ao de qualquer outra democracia. Uma comparação com três países conhecidos por terem muitos partidos no Legislativo, Itália, Israel e Bélgica, é ilustrativa. Nos pleitos para a Camara di Diputati da Itália, em 2013, quinze partidos elegeram representantes. Em Israel, nas eleições de 2015, apenas dez legendas fizeram deputados para o Knesset, o tradicionalmente fragmentado Legislativo do país. Na Bélgica, treze partidos elegeram deputados em 2013.[11]

Apenas conhecer o número de partidos representados no Legislativo, no entanto, é uma maneira pouco confiável de apreender a natureza da competição política. Imagine um Legislativo com dez partidos, em que as duas maiores legendas tenham, somadas, 90% das cadeiras, e as outras oito fiquem com 10%. Ou, alternativamente, um Legislativo em que dez partidos tenham algo entre 5% e 15% de cadeiras cada um. Estamos falando de dez partidos, mas em duas situações nas quais o poder parlamentar é distribuído de maneira muito diferente.

Os cientistas políticos usam um índice que ajuda a dimensionar a dispersão de poder no Legislativo, chamado *número efetivo de partidos* (N). O índice é construído a partir da proporção de cadeiras (ou votos obtidos nas eleições) de cada legenda.* O *índice N* é um instrumento matemático que expressa uma

---

* O número efetivo de partidos (N) varia de 1,0 (situação em que um único partido controla todas as cadeiras no Legislativo) a x (onde x é o total de cadeiras do Legislativo). Para a Câmara dos Deputados brasileira atual, N variaria de 1 (se um partido controlasse todas as cadeiras) a 513 (caso cada deputado fosse de um partido). Para o cálculo do *número efetivo de partidos*, ver Nicolau, 2012, p.92.

situação hipotética na qual determinado número de partidos divide igualmente as cadeiras do Legislativo. Se dois partidos têm 50% da representação, o N seria igual a 2,0; numa situação com quatro partidos e cada um deles com 25%, teríamos um N igual a 4,0.

O *número efetivo de partidos* tem grande utilidade nos estudos comparativos. Saber, por exemplo, que a Câmara dos Comuns do Reino Unido eleita em 2015 tem $N = 2,5$ e que em 1945 tinha $N = 2,1$ nos oferece pistas de que o Legislativo não mudou muito em termos da natureza de dispersão da força política. Do mesmo modo, o *índice N* revela que a Câmara dos Deputados eleita na França em 2012 ($N = 2,8$) é menos fragmentada que a da Holanda escolhida no mesmo ano ($N = 5,7$).

O Gráfico 12 compara o resultado de 1.167 eleições para a Câmara dos Deputados realizadas entre 1919 e 2015 em 137 países. Os dados originais foram compilados pelo cientista político Michael Gallagher.[12] Os dois eixos mostram o *número efetivo de partidos*: o eixo X representa os resultados da fragmentação eleitoral (os votos que os partidos receberam são utilizados para os cálculos), e o eixo Y, a fragmentação parlamentar (as bancadas dos partidos são usadas para o cálculo). Aqui nos interessa particularmente a dispersão no Legislativo (o eixo Y). Observamos uma grande concentração de casos no canto inferior esquerdo do gráfico, mostrando que, na maioria da disputas, há uma reduzida fragmentação na arena parlamentar; para todos os casos, a média do $N = 3,2$.

As sete eleições realizadas no Brasil entre 1990 e 2014 estão destacadas no Gráfico 12 por um triângulo em tonalidade mais escura. A excepcionalidade do país é realmente impres-

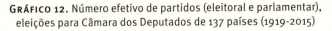

GRÁFICO 12. Número efetivo de partidos (eleitoral e parlamentar), eleições para Câmara dos Deputados de 137 países (1919-2015)

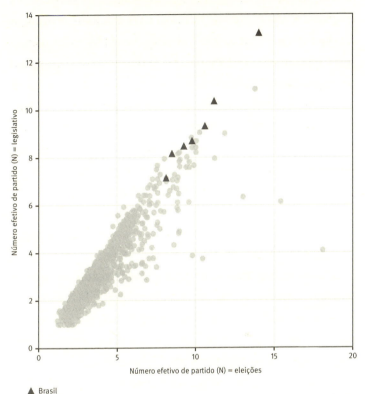

▲ Brasil

Número de eleições: 1.167.

Fonte dos dados brutos: http://www.tcd.ie/Political_Science/staff/michael_gallagher/ElSystems/

sionante. Entre as quatro eleições que produziram a mais alta fragmentação no mundo, três aconteceram no Brasil (2014, 2010 e 2006); a outra foi na Polônia, em 1991 – o primeiro pleito após o fim do regime comunista.

É interessante observar que, nos três países citados anteriormente, o sistema de partidos expressa alguma divisão mais profunda no campo ideológico ou da estrutura social: ideologia (Itália), religião (Israel), etnia-língua (Bélgica). Será que a alta fragmentação observada no Brasil é resultado de profundas divisões sociais e ideológicas? Será que as 28 legendas com assento na Câmara dos Deputados são resultado da diversidade ideológica do país?

Dificilmente alguém que acompanha a política brasileira responderia afirmativamente a essas duas perguntas. Tradicionalmente, os partidos brasileiros são alinhados no eixo direita-esquerda, mas em menor grau de polarização do que observado, por exemplo, em algumas democracias europeias, como a França e a Itália. As diferenças programáticas dos partidos brasileiros poderiam ser traduzidas em um número menor de legendas – digamos, dez partidos.

O Brasil tem profundas desigualdades de renda, assimetrias regionais e um crescente pluralismo religioso. Mas essas divisões não se expressam em termos partidários como em outras democracias. Para dar um exemplo, o crescente envolvimento dos evangélicos na política ainda não se traduziu (e pode não vir a se traduzir) numa clivagem religiosa no sistema partidário como a existente em muitos países da Europa depois da Segunda Guerra Mundial. Os partidos democratas cristãos na Itália e na Alemanha, por exemplo, concentravam sua votação entre eleitores cristãos e defendiam temas (sobretudo no campo comportamental) de interesse desses eleitores, contrapondo-se aos temas tradicionais da esquerda laica.[13]

Minha hipótese é que, no Brasil, o grande número de partidos não expressaria nem uma ampla divergência ideológica nem a politização de clivagens sociais, mas seria decorrente de fatores institucionais. O primeiro deles é a vigência da regra das coligações nas eleições proporcionais, propiciando que partidos com números muito reduzidos de votos ingressem no Legislativo. O segundo é a legislação partidário-eleitoral, que oferece benefícios a legendas com pequeno apoio eleitoral: o acesso à verba do Fundo Partidário e aos meios de comunicação (nas eleições e nos programas partidários) é franqueado mesmo às legendas que apresentam reduzido desempenho eleitoral. Dessa maneira, os políticos têm todo o incentivo para criar novas legendas ou se transferir para as já existentes. E, como vimos, as barreiras a essa transferência quase inexistem desde a redemocratização.

Um último passo é conectar os dois aspectos tratados anteriormente neste capítulo: a migração e a fragmentação parlamentar. Vimos que as migrações alteram a composição dos partidos durante uma mesma legislatura, mas não sabemos se elas têm contribuído para que o Legislativo fique mais ou menos fragmentado. Um movimento de transferência de políticos dos menores partidos em direção aos maiores contribuiria para reduzir a fragmentação partidária. Por outro lado, a criação de novas legendas necessariamente aumenta a dispersão de poder na Câmara.

Um gráfico simples, mostrando o *número efetivo de partidos* ao longo dos anos, é capaz de nos oferecer um quadro dos eventuais efeitos das trocas de legenda sobre a fragmentação partidária. O Gráfico 13 mostra a fragmentação da Câmara dos Deputados medida ano a ano (entre 1995 e 2016). As legislaturas são diferenciadas segundo o tom das barras. Chama atenção o contínuo aumento da fragmentação parlamentar, em particular a partir de 2003. Entre 2002 e 2016, o *índice N* quase dobra, passando de 7,7 para 13,4.

GRÁFICO 13. Evolução do número efetivo de partidos (*índice N*),
Câmara dos Deputados (Brasil, 1995-2016)

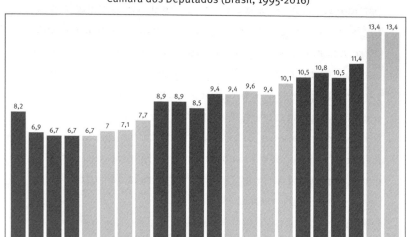

Fonte dos dados brutos: http://www.tcd.ie/Political_Science/staff/michael_gallagher/ElSystems/

Somente na legislatura iniciada em 1995 houve redução da dispersão partidária. Isso pode ser atribuído ao processo de migração na direção do PSDB e do PFL – principais partidos do governo Fernando Henrique Cardoso – e à criação do Partido Progressista Brasileiro (PPB), em 1995, resultado da fusão de dois partidos (PPR e PP).*

A partir de 1999, observamos que todas as legislaturas terminam mais fragmentadas do que começaram, indicando que as migrações contribuíram para aumentar a dispersão das forças partidárias no interior da Câmara dos Deputados. Existe um

---

* O PDS fundiu-se com o PDC em 1993, passando a chamar-se Partido Progressista Reformador (PPR). O PPR fundiu-se com o Partido do Povo (PP) em 21 de setembro de 1995, passando a se chamar Partido Progressista Brasileiro (PPB).

claro esvaziamento das maiores legendas em direção às menores. Uma ilustração desse processo é o total de cadeiras do maior partido. Em 1995, o PMDB tinha a maior bancada, com 105 deputados (21% do total). Em 2016, continuava a ter a maior bancada, mas agora expressivamente reduzida: 67 deputados (13% do total).

Neste capítulo analisei dois processos que caracterizaram a democracia brasileira pós-1988: a alta taxa de migração dos políticos entre os partidos e o aumento da fragmentação partidária. Ambos foram ilustrados a partir da análise da composição da Câmara dos Deputados. Os dois mostram que o país se encontra numa situação extrema. Em relação às trocas de legenda, apenas a Itália apresenta grau tão elevado e contínuo de mudanças quanto o observado no Brasil. No que diz respeito à fragmentação partidária, os números são contundentes: não há casos semelhantes no mundo.

Da perspectiva dos eleitores, importa salientar que a migração partidária e a recomposição do poder parlamentar daí decorrente acontecem durante o exercício do mandato; ou seja, os políticos brasileiros têm permanentemente reconfigurado a distribuição de poder definida pelos votos nas urnas. Desse modo, a ideia de que, na democracia, as eleições são "a fonte" de distribuição de poder entre os partidos precisa ser relativizada no Brasil... Aqui, o mais correto seria dizer que as eleições tornaram-se não "a fonte", mas "uma das fontes" de distribuição do poder parlamentar.

5. Por que o voto de um eleitor de Roraima vale nove vezes o voto de um eleitor paulista?

Durante a Assembleia Constituinte, em 1988, houve uma acalorada discussão no dia em que se decidiu qual seria o critério utilizado para distribuir as cadeiras da Câmara dos Deputados entre os estados. O senador Mário Covas (PSDB-SP) fez um discurso enfático chamando a atenção para os efeitos das regras vigentes. Segundo ele, se o eleitor migra de um estado para outro, seu voto para deputado federal ou senador pode vir a ter mais peso, ou menos:

> Aprovamos um dispositivo, no artigo 16, que estabelece que o voto é igual para todos, e outro, no artigo 4, que diz não se admitir qualquer tipo ou forma de desigualdade neste país, tendo em vista origem, raça ou credo. Não reivindico em nome de São Paulo, mas me pergunto: numa cidade como São Paulo, onde, de quatro pessoas que ali moram, apenas uma delas nasceu lá, por que o índio de Altamira ... é mais cidadão que esse mesmo índio quando vai para São Paulo? Por que homens nascidos em Sobral, Baturité, Crato e em outras cidades do Ceará têm determinada taxa de cidadania enquanto ali moram e a perdem quando dali saem em busca de trabalho ou para construir, como tem ocorrido, a grandeza de São Paulo?[1]

O senador Covas estava certo. O voto dos eleitores brasileiros realmente não tem o mesmo peso quando eles votam para o Senado e para a Câmara dos Deputados. O propósito deste capítulo é mostrar quais são as razões dessa assimetria especificamente na composição da Câmara dos Deputados.[2] E, como o leitor verá, essa não é uma característica recente. Pelo contrário: o Brasil nunca teve um Legislativo nacional em que a representação dos estados (províncias, no Império) fosse rigorosamente proporcional à população residente nesses estados.

Em quase todos os países do mundo, o Legislativo nacional é composto por representantes escolhidos em determinadas regiões. Em algumas democracias, as unidades administrativas – estados, províncias, departamentos, cantões – são transformadas em unidades eleitorais, cada qual elegendo determinado número de representantes. Na Espanha, por exemplo, o Congresso de los Diputados é composto por 350 representantes escolhidos em quinze províncias; as menores (Celta e Melilla) elegem um representante, e a maior (Madri) elege 36. Em outras democracias, o território é dividido em unidades específicas para fins eleitorais. O Reino Unido, por exemplo, é recortado em 650 distritos eleitorais, e cada distrito elege um deputado para a Câmara dos Comuns.

Uma pergunta que os legisladores de cada país têm que responder em algum momento é: qual critério será utilizado para distribuir as cadeiras da Câmara dos Deputados entre as diversas unidades eleitorais do país? A resposta mais óbvia é utilizar uma fórmula matemática que garanta que cada região terá o número de cadeiras aproximadamente proporcional à sua população ou eleitorado.

Como cada país organiza as bancadas regionais pode parecer uma questão trivial, mas é de suma importância para quem estuda os regimes democráticos. Uma das premissas fundamentais da moderna teoria democrática é que o voto de cada cidadão deve ter o mesmo peso. Este foi um dos fundamentos daqueles que defendiam o sufrágio universal e lutavam para extinguir os privilégios que alguns eleitores tinham em decorrência de renda e status. A premissa é resumida no bordão "Um cidadão, um voto".[3]

Os eleitores de um país em que o presidente é escolhido diretamente não têm dúvidas de que os votos dos cidadãos têm o mesmo peso. Já na eleição para a Câmara dos Deputados a igualdade é garantida apenas se as regiões tiverem um número de representantes proporcional à sua população.

A preocupação de garantir uma relação rigorosamente proporcional entre a população das regiões e o número de representantes começou nos Estados Unidos, ainda no século XVIII. A Constituição americana, já no primeiro artigo (seção dois), definiu que as cadeiras da Câmara dos Deputados seriam distribuídas de acordo com a população dos estados, assegurando que cada um deles teria pelo menos um representante. O texto previa ainda que as bancadas seriam redistribuídas a cada dez anos, após a realização dos censos demográficos. Nos primeiros anos após a promulgação da nova Constituição, Thomas Jefferson e Alexander Hamilton, dois dos Pais Fundadores da República americana, propuseram fórmulas diferentes para distribuir as cadeiras entre os estados; as fórmulas passariam para a posteridade com o nome de cada um deles.[4]

A maior ou menor equidade na distribuição de cadeiras do Legislativo entre as regiões de um país é afetada por uma série de fatores. O primeiro deles é o método matemático empregado. Quase todas as fórmulas começam dividindo o total da população pelo número de cadeiras da Câmara dos Deputados, para chegar a uma média nacional. Pensemos, por exemplo, no Brasil atual, que tem cerca de 200 milhões de habitantes e 513 deputados federais. O resultado da divisão da população pelas cadeiras é de c.394 mil. Se dividirmos a população de cada estado brasileiro por esse valor, encontramos o número de cadeiras que cada um deles deveria ter na Câmara dos Deputados. Feita essa conta, observamos em seguida que muitas cadeiras não serão alocadas por causa das frações. Um estado pode receber 3,7, o outro 23,4. Como fazer? A questão pode parecer simples, mas tem atormentado os matemáticos. Há métodos que tendem a favorecer as regiões mais populosas, enquanto outros tendem a sobrerrepresentar as menos populosas. Embora existam fórmulas muito eficientes, nenhuma delas tem como resolver de uma vez por todas o problema das frações.[5]

A segunda razão para a existência de disparidades na representação das regiões é a mobilidade dos habitantes pelo território. Sabemos que o crescimento populacional ocorre de maneira desigual. Áreas que passam por acelerado crescimento econômico tendem a atrair mais gente, enquanto outras regiões perdem habitantes. Ao longo dos anos, uma região que ficou adensada acaba sub-representada na Câmara dos Deputados, enquanto outras tornam-se sobrerrepresentadas. Para combater essa fonte de disparidade, a solução é refazer a distribuição de cadeiras a intervalos regulares (como acontece nos Estados Unidos).

A terceira razão é a decisão deliberada dos legisladores de favorecer ou prejudicar as bancadas de certas regiões. Na Argentina, por exemplo, nenhuma das províncias pode ter menos de cinco cadeiras na Câmara dos Deputados. A província de Santa Cruz deveria ter apenas um representante, mas elege cinco. No outro extremo está a norma adotada no Brasil, estabelecendo que nenhum estado pode ter mais de setenta representantes.[6]

Na prática, nenhuma democracia consegue distribuir perfeitamente o total de cadeiras da Câmara dos Deputados entre as diversas circunscrições eleitorais do país. O que observamos é uma gradação que vai de países que garantem uma distribuição altamente proporcional até outros em que existe uma acentuada distorção entre a população das circunscrições eleitorais e o total de cadeiras que a elas corresponde no Legislativo. Suécia, Finlândia, Nova Zelândia e Portugal apresentam uma distribuição bem equilibrada. No outro extremo, Chile, Bolívia e Argentina exibem uma alta desproporcionalidade.[7]

A representação dos estados na Câmara dos Deputados brasileira

O número de representantes de cada estado na Câmara dos Deputados brasileira atualmente segue as normas definidas pela Constituição de 1988: os estados devem ter representação proporcional à sua população, porém nenhum estado pode ter menos de oito ou mais de setenta deputados. Outra norma importante, que a Câmara terá um número máximo de 513 deputados, foi definida pela lei complementar nº 78, de 1993. É interessante observar que a legislação não definiu qual será a fórmula matemática para distribuir as cadeiras.

A Tabela 7 apresenta a população e o número de representantes de cada estado na Câmara dos Deputados (ver co-

TABELA 7. Distribuição de cadeiras dos estados (população de 2014)

Estado	Habitantes	Número de representantes	Média de habitantes por deputado	Índice de discrepância
São Paulo	43.592.011	70	622.743	1,58
Minas Gerais	20.524.700	53	387.258	0,98
Rio de Janeiro	16.868.851	46	366.714	0,93
Bahia	14.517.499	39	372.244	0,94
Rio Grande do Sul	10.959.601	31	353.536	0,90
Paraná	10.917.904	30	363.930	0,92
Pernambuco	9.275.121	25	371.005	0,94
Ceará	9.022.175	22	410.099	1,04
Pará	8.390.051	17	493.532	1,25
Maranhão	7.096.909	18	394.273	1,00
Santa Catarina	6.753.006	16	422.063	1,07
Goiás	6.581.240	17	387.132	0,98
Paraíba	3.941.613	12	328.468	0,83
Amazonas	3.877.243	8	484.655	1,23
Espírito Santo	3.746.205	10	374.621	0,95
Rio Grande do Norte	3.387.060	8	423.383	1,07
Mato Grosso	3.342.705	8	417.838	1,06
Alagoas	3.283.025	9	364.781	0,92
Piauí	3.266.919	10	326.692	0,83
Distrito Federal	2.882.625	8	360.328	0,91
Mato Grosso do Sul	2.660.685	8	332.586	0,84
Sergipe	2.227.984	8	278.498	0,71
Rondônia	1.663.797	8	207.975	0,53
Tocantins	1.513.492	8	189.187	0,48
Acre	841.660	8	105.208	0,27
Amapá	794.181	8	99.273	0,25
Roraima	531.053	8	66.382	0,17
Brasil	202.459.314	513	394.658	1,00

Os números da última coluna são lidos de maneira diferente, caso sejam menores ou maiores que 1. Um número acima de 1 indica a proporção de cadeiras *a mais* que o estado deveria ter em relação ao que tem hoje. Abaixo de 1 indica a percentagem das cadeiras atuais que deveria ter. Assim, comparado a uma distribuição rigorosamente proporcional, São Paulo deveria ter 58% mais cadeiras do que tem hoje, e Roraima deveria ter apenas 17% das cadeiras que tem hoje.

Fonte dos dados brutos: Tribunal Superior Eleitoral e IBGE – Instituto Brasileiro de Geografia e Estatística.

luna 3).* A quarta coluna da tabela mostra a média de habitantes por deputado em cada estado. Em um dos extremos está São Paulo, onde um deputado representa 622 mil habitantes, e no outro Roraima, onde um deputado representa apenas 66 mil eleitores. Se dividirmos um pelo outro, encontraremos 9,3. Essa é a explicação para a pergunta que dá título ao capítulo: o eleitor de Roraima vale nove vezes o eleitor paulista.

Um aspecto que chama atenção na Tabela 7 é que a distribuição de cadeiras não segue um padrão uniforme: alguns estados têm menos cadeiras do que outros que são menos populosos que ele. Um caso interessante é o Pará. O estado tem 1,3 milhão de habitantes a mais que o Maranhão, mas uma cadeira a menos; e possui o mesmo número de representantes que Goiás, apesar de ter 1,8 milhão a mais de moradores.

A quarta coluna da Tabela 7 mostra a discrepância entre a média de habitantes por deputado federal de um estado e a média por deputado em âmbito nacional; é aquela conta simples que fizemos no começo do capítulo, cujo resultado foi c.394 mil). O valor foi encontrado dividindo-se um determinado número da terceira coluna pela média nacional; por exemplo, o resultado do Rio de Janeiro (0,93) deriva da divisão de 366.714 por 394.658. Um valor acima de 1 indica que o estado está sub-representado na Câmara dos Deputados, isto é, tem menos cadeiras do que deveria ter, considerando o percentual de sua população. Um valor abaixo de 1 indica que o estado está sobrerrepresentado, ou seja, tem mais cadeiras do que deveria.

---

* A população de 2014 foi projetada por mim, utilizando o mesmo ritmo de crescimento demográfico do período 2000-10.

E a proporção de sub ou sobrerrepresentação entende-se assim: o quanto o índice de discrepância passa de 1 indica a percentagem *a mais das* cadeiras atuais que o estado deveria ter – São Paulo, por exemplo, deveria ter 58% mais cadeiras (111 em vez de 70); já para os valores abaixo de 1 a leitura é diferente: o quanto eles passam de 0 indica a percentagem *das* cadeiras atuais que o estado devia ter – Roraima, por exemplo, deveria ter apenas 17% das cadeiras atuais (1 em vez de 8).

O estabelecimento de patamares mínimos (8 cadeiras) e máximos (70 cadeiras) e a definição do número de 513 representantes na Câmara dos Deputados têm um efeito direto sobre a representação dos estados que estão acima ou abaixo de determinado patamar de população. De um lado, perdem representantes as unidades federativas que têm mais de 27.626.060 habitantes (resultado da multiplicação de 70 × 394.658, isto é, o patamar máximo × a média nacional por representante); atualmente, apenas São Paulo é prejudicado pela regra do patamar máximo. De outro lado, possuem representantes a mais todos os estados com população inferior a 3.157.264 (8 × 394.658, isto é, patamar mínimo × média nacional por representante); atualmente, oito estados são beneficiados pela regra do patamar mínimo: Distrito Federal, Mato Grosso do Sul, Sergipe, Rondônia, Tocantins, Acre, Amapá e Roraima.

A pergunta óbvia observando a tabela é: por que encontramos distorções na representação de outros estados? A resposta é simples. A última revisão das bancadas de todos os estados na Câmara dos Deputados aconteceu em 1986.[8] Naquele ano, o total de representantes da Câmara chegaria a 487. De lá para cá, apenas se acrescentaram cadeiras para algumas unidades, sem recalcular as bancadas de acordo com as mudanças demográficas. Em 1990, oito cadeiras foram alocadas para o novo estado de Tocantins, e oito foram para o Distrito Federal, que passou a ter representantes na Câmara dos Deputados. Em 1994, São Paulo ganhou dez deputados a mais (foi de 60 para 70), fazendo valer o preceito estabelecido pela Constituição de 1988.

O piso de oito deputados e o teto de setenta explicam as distorções existentes nas duas "pontas" da representação dos estados. Não há razão para que as bancadas dos outros estados não sejam revisadas periodicamente – por exemplo, após cada recenseamento populacional. O silêncio sobre o tema revela sua pouca importância no debate político brasileiro. Um sintoma desse silêncio é que, nas mais de duas décadas de debate sobre a reforma política, praticamente nenhuma proposta menciona as distorções na representação dos estados, seja sugerindo a alteração do número de deputados, seja sugerindo fórmulas para corrigir as assimetrias produzidas pelas mudanças demográficas.

Na seção seguinte veremos quais regras foram utilizadas para distribuir as cadeiras entre as províncias no Império, e posteriormente entre os estados durante o período republicano. Será que o tema recebeu dos legisladores uma atenção maior do que a observada no atual período democrático?

Distribuição de cadeiras da Câmara dos Deputados brasileira: do Império aos anos 1930

Um dos desafios para definir as cadeiras que cada província teria nas eleições para a Assembleia Constituinte de 1823 era que não havia estatísticas seguras sobre o número de residentes no território brasileiro. O texto das instruções que regularam as eleições, assinado por José Bonifácio de Andrada e Silva, reconhecia que os censos populacionais existentes não mereciam crédito, "já que eram por inexatos", e definia arbitrariamente em cem o número total de representantes a serem eleitos.[9] Esse quadro não mudaria nos cinquenta anos seguintes, pois o primeiro Censo Demográfico do país seria realizado apenas em 1872. Somente a partir dessa data é possível relacionar a população de cada província com o número de seus representantes na Câmara dos Deputados.

Ao longo do Império, o número total de representantes na Câmara dos Deputados cresceu, passando de cem para 125. A mudança na composição das bancadas está associada à recomposição territorial do país – independência da província Cisplatina (1827), criação das províncias do Amazonas (1850) e do Paraná (1853) – e à introdução de novos sistemas eleitorais em 1855 e 1860. Mesmo após o conhecimento dos dados do censo de 1872, nenhum esforço foi feito para redistribuir as cadeiras do Legislativo de acordo com a população de cada província. A composição da Câmara dos Deputados definida em 1860 ficaria praticamente inalterada até o fim do Império.*

Ao contrário do que aconteceu nos Estados Unidos após a Independência, onde houve a preocupação de garantir uma distribuição proporcional entre número de habitantes e representação dos estados, esse não foi um tema presente no debate sobre as instituições no Império brasileiro. Uma das exceções foi Aureliano Tavares Bastos, que, em texto de 1873, fez uma

---

* Exceção foi a província do Pará, que teve sua bancada ampliada em 1881, passando de três para seis representantes.

defesa explícita da tese da proporcionalidade da representação das províncias na Câmara dos Deputados:

> Mas não basta aumentar, cumpre repartir proporcionalmente pelas províncias as cadeiras da Câmara. A população é a única base prática para a representação política. No Brasil há a maior discordância entre uma e outra. Tendo-se há pouco efetuado um recenseamento geral, pode-se agora assentar o nosso sistema representativo na sua verdadeira base. A exemplo dos Estados Unidos, da Bélgica, da República Argentina e de outros países, tenha cada uma de nossas províncias no Parlamento a legítima influência proporcional ao número de seus habitantes.[10]

Para dimensionar as distorções entre as bancadas das províncias/estados na Câmara dos Deputados brasileira e suas populações ao longo da história optei por uma medida relativamente simples. Apliquei o mesmo cálculo da quarta coluna da Tabela 7 para todas as legislaturas eleitas desde 1874,* comparando a média de quantos habitantes um deputado de determinado estado representava com a média nacional (população brasileira dividida pelo total de membros da Câmara dos Deputados) em cada período. Para que a medida ficasse mais precisa, projetei a população de cada ano em que a eleição foi realizada. Nos anos em que elas coincidiam com os censos, foram utilizados os dados censitários.** Na

---

* Esforcei-me por analisar a evolução das distorções na representação dos estados, utilizando um outro indicador e cobrindo um número menor de casos (ver Nicolau, 1997).
** Os dados da população foram extraídos dos censos realizados no país (1872, 1890, 1900, 1920, 1940, 1950, 1960, 1970, 1980, 1991, 2000 e 2010). Para os

situação em que as unidades federativas têm uma bancada proporcional à sua população, esperamos encontrar um número próximo de 1. Marcações acima da linha mostram que a unidade está sub-representada, e marcações abaixo, que ela está sobrerrepresentada.

Os números foram segmentados em dois gráficos (Gráfico 14, na p.108, e Gráfico 15, na próxima seção) que, juntos, compõem o quadro completo da representação dos estados na Câmara dos Deputados brasileira desde o fim do Império.

O Gráfico 14 apresenta a evolução da distorção do número de cadeiras de cada província/estado entre o fim do Império (1874) e a última eleição realizada no país antes do Estado Novo (1934). Para facilitar a visualização, as eleições da Primeira República (1890-1930) estão destacadas por barras em tom mais escuro. Os gráficos das três maiores províncias (Minas Gerais, Bahia e São Paulo) no fim do Império mostram que elas tinham uma proporção de representantes menor que sua população. Em 1886, por exemplo, a sub-representação era da seguinte magnitude: Minas Gerais deveria ter 37% mais representantes, São Paulo deveria ter 30% mais e a Bahia, 21% mais.

Em 15 de setembro de 1890 foram realizadas as primeiras eleições da República brasileira. Na ocasião, foram escolhidos os deputados e senadores que iriam redigir a nova Constituição. O tamanho da Câmara teve um crescimento significativo em relação à última legislatura do Império, passando de 125 para 205 membros. Os dirigentes republicanos alteraram a

---

anos não censitários, fiz estimativas utilizando um método matemático baseado em logaritmos naturais, que supõe que, entre dois anos censitários sucessivos, a população aumenta (ou eventualmente diminui), ano a ano, numa razão constante.

GRÁFICO 14. Distorção na representação dos estados (províncias até 1889) na Câmara dos Deputados (1872-1934)

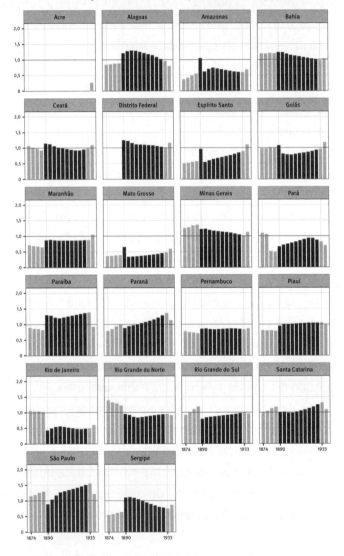

As barras mais escuras indicam as eleições realizadas durante a Primeira República (1890-1930).

Fonte: Dados calculados pelo autor a partir da população e da bancada de cada ano em que houve eleição para a Câmara dos Deputados.

composição de diversas bancadas, mas não a situação dos estados com maior população (Minas Gerais e Bahia), que continuaram sub-representados, e do Rio de Janeiro, que continuou sobrerrepresentado. Entre os maiores estados, a exceção foi São Paulo, que pela única vez na história política brasileira obteve uma bancada proporcional ao tamanho de sua população.

O texto final da Constituição de 1891 remeteu para a legislação ordinária a definição das normas para estipular o número de deputados, que deveriam obedecer a duas regras: uma cadeira para 70 mil habitantes e um número mínimo de quatro deputados por estado. E estabeleceu que a revisão do número de representantes fosse feita a cada dez anos, após o recenseamento da população.

No momento em que a Constituição de 1891 foi promulgada, todos os estados brasileiros tinham mais de 70 mil habitantes, o que lhes garantia pelo menos uma cadeira na Câmara. O único efeito imediato das novas regras foi ampliar as bancadas dos estados de Amazonas, Espírito Santo, Goiás e Mato Grosso, que passaram a contar com quatro representantes cada. Dessa maneira, o total de deputados da Câmara passou de 205 para 212.

Durante 36 anos, entre 1894 e 1930, a composição da Câmara dos Deputados ficou inalterada. A regra que previa a revisão após a realização de cada Censo Demográfico simplesmente não foi empregada. Nesse período, a principal mudança demográfica do país foi o crescimento relativo da população de São Paulo: em 1890, cerca 9,7% da população brasileira morava no estado; em 1930, o percentual passaria para 16%. Apesar desse crescimento, a bancada do estado continuou inalterada, com 22 deputados (10% do total). Assim, a não aplicação da revisão das bancadas afetou particularmente São Paulo, que ficou cada vez mais sub-representado ao longo da Primeira República; vemos como as barras do estado vão ficando mais altas, indicando uma crescente perda de representação.

Fenômeno inverso aconteceu com Minas Gerais e Bahia, as províncias mais populosas do Império. O declínio relativo do número de habitantes nesses estados teve o efeito de torná-los cada vez menos sub-representados ao longo da Primeira República. Em 1894, Minas Gerais respondia por 22% da população brasileira, mas controlava 18% da representação; em 1930, esses percentuais se igualaram. A Bahia também passou de sub-representada em 1894 (13% da população e 10% da representação) para uma situação de equilíbrio em 1930 (10% da população e 10% da bancada).

A Constituição de 1934 manteve o procedimento da Carta de 1891 – atribuir uma cadeira na Câmara a determinado contingente populacional –, com uma diferença: no lugar de uma faixa, foram introduzidas duas: a cada 150 mil habitantes, o estado garantiria uma cadeira, até atingir vinte; a partir desse número, seria garantida uma cadeira para cada 250 mil habitantes. Tal mecanismo afetou a representação dos estados que tinham população superior a 3 milhões (150 mil × 20), que na época da promulgação da Constituição eram apenas três: Minas Gerais (6,5 milhões), São Paulo (6,3 milhões) e Bahia (3,7 milhões).

É interessante observar que, ao contrário da Constituição de 1891, que estabelecia o mínimo de dois representantes por estado, a Carta de 1934 não trazia nenhum dispositivo do gênero no texto principal. Contudo, uma prescrição das disposições transitórias dizia que nenhum estado poderia possuir bancada menor do que tivera na Constituinte. Como a menor bancada na Constituinte fora de quatro representantes, este seria o patamar mínimo de cada estado.

Em 1934 foi realizada a primeira (e única) eleição para a Câmara dos Deputados sob a vigência dessa nova Constituição. Com a aplicação das novas regras, o total de deputados passou de 212 para 250.* Pela primeira vez na história da República, a regra definida na Constituição para distribuir as cadeiras dos estados foi rigorosamente seguida. São Paulo foi o principal beneficiado – sua bancada passou de 22 para 34 –, e a representação dos demais estados foi muito pouco alterada. No Gráfico 14 é possível observar como em 1934 a representação de São Paulo tornou-se mais equânime em relação à sua população.

O Quadro 1 apresenta um resumo de todas as regras definidas nas Constituições (ou nas emendas constitucionais) para distribuir as cadeiras da Câmara dos Deputados entre os estados ao longo da história republicana.

Distribuição de cadeiras da Câmara dos Deputados brasileira: de 1945 a 2014

A Constituição de 1946 manteve a regra de dois patamares (150 mil e 250 mil habitantes) introduzida na carta de 1934 e que prejudicava os estados com população acima de 3 milhões de habitantes – que em 1946 eram quatro: São Paulo (8,1 milhões), Minas Gerais (7,3 milhões), Bahia (4,3 milhões) e Rio Grande do Sul (3,7 milhões). Outra mudança da Carta de 1946 – posta em prática somente em 1950 – foi o aumento do número mínimo

---

* Segundo a Constituição de 1934, além dos 250 deputados eleitos nos estados, a Câmara dos Deputados teria mais cinquenta representantes eleitos por sindicatos e associações.

QUADRO 1. Normas para distribuição das cadeiras da Câmara dos Deputados entre as Unidades da Federação (Brasil República)

Constituição	Número mínimo por estado	Número máximo por estado	Número de representantes por território	Número de representantes da Câmara	Número de habitantes para obtenção de uma cadeira
1891	4			–	70 mil
1934	4		2	–	150 mil até vinte cadeiras; 250 mil acima de vinte cadeiras
1946	7		1	–	150 mil até vinte cadeiras; 250 mil acima de vinte cadeiras
1967	7		1	–	–
Emenda nº 1 (1969)	3 até 100 mil eleitores		1	–	Acima de 100 mil até 3 milhões, um deputado para cada 100 mil; acima de 3 milhões até 6 milhões, um deputado para 300 mil; acima de 6 milhões, um deputado para cada 500 mil
Emenda nº 8 (1977)	6	55	2	até 420	–
Emenda nº 22 (1982)	8	60	4	até 479	–
Emenda nº 25 (1985)	8	60	4	até 487	–
Constituição de 1988	8	70	4	–	–

de representantes, que passaria de quatro para sete. Essa regra teve o efeito de sobrerrepresentar os estados com população inferior a um milhão e cinquenta mil habitantes (150 mil × 7). Três estados foram particularmente beneficiados por terem um total de habitantes muito abaixo desse número: Amazonas (481 mil habitantes), Mato Grosso (483 mil habitantes) e Sergipe (601 mil habitantes).

Ao longo da República de 1946, houve ainda duas outras mudanças na composição da Câmara dos Deputados, ajustes realizados após os recenseamentos demográficos: em 1954, após o censo de 1950, e em 1962, após o censo de 1960. As revisões fizeram o tamanho da Câmara aumentar ao longo de todo o período, passando de 286 membros (1945) para 304 (1950), subindo para 326 (1954) e chegando a 429 (1962).[11]

O Gráfico 15 apresenta a evolução da distorção das bancadas dos estados na Câmara dos Deputados entre 1945 e 2014.

O primeiro segmento, em tom de cinza mais claro, mostra a evolução entre 1945 e 1962. Observamos que os dois maiores estados (São Paulo e Minas Gerais) estão sub-representados. Para se ter uma ideia, em 1962 São Paulo tinha 28% de cadeiras a menos do que deveria e Minas Gerais, 16% a menos. Outras unidades com grande população obtiveram bancada mais simétrica à sua população: o Rio Grande do Sul e a Bahia foram levemente sub-representados, enquanto o Rio de Janeiro e o Distrito Federal – unidades que eram sobrerrepresentadas em 1945 – chegaram a 1962 com bancadas mais simétricas.

Na história brasileira, a mudança mais radical na composição da Câmara dos Deputados foi implantada em 1969. A emenda nº 1 à Constituição de 1967, outorgada já durante o Regime Militar, utilizou pela primeira vez o eleitorado, e não a população,

GRÁFICO 15. Distorção na representação dos estados na Câmara dos Deputados (1945-2014)

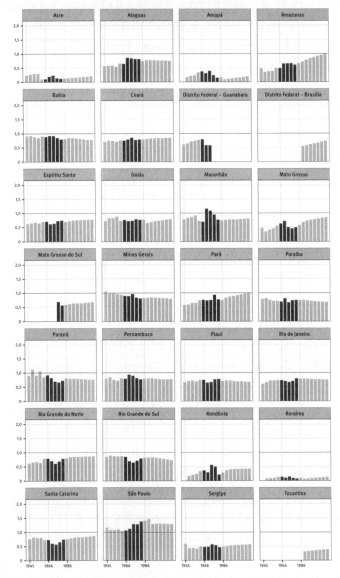

As barras mais escuras indicam as eleições realizadas durante o regime militar (1966-82).

Fonte: Dados calculados pelo autor a partir da população e da bancada de cada ano em que houve eleição para a Câmara dos Deputados.

como base para distribuir as cadeiras dos estados. A segunda alteração foi a redução do número mínimo de representantes dos pequenos estados (até 100 mil eleitores) para três representantes, norma que beneficiou apenas o Acre. Uma última mudança foi o estabelecimento de três faixas para a alocação de cadeiras.

As faixas eram as seguintes: o estado com mais de 100 mil e até 3 milhões de eleitores tinha um deputado a cada 100 mil eleitores (ou fração superior a 50 mil); entre 3 milhões e 6 milhões de eleitores, uma cadeira a cada 300 mil eleitores (ou fração superior a 150 mil eleitores); acima de 6 milhões de eleitores, uma cadeira para cada 500 mil eleitores (ou fração acima de 250 mil). As novas faixas afetaram apenas dois estados: São Paulo e Minas Gerais. Em 1969, o Brasil tinha cerca de 29,3 milhões de eleitores. São Paulo, com eleitorado de 6,5 milhões, era o único estado na faixa superior. Já Minas Gerais, com 3,8 milhões de eleitores, ficava na faixa intermediária. Como consequência das novas regras, o total de deputados da Câmara caiu pela primeira (e única) vez na história brasileira, passando de 429 (1966) para 310 (1970). Em 1974, as mesmas regras foram utilizadas, levando-se em conta o eleitorado inscrito para votar naquele ano, o que fez o número total de deputados subir para 364.

Em 1977, uma nova emenda constitucional (nº 8) voltou a considerar a população dos estados como critério para distribuição das cadeiras na Câmara dos Deputados. O número mínimo de representantes por estado passou de três para seis, e duas novidades foram introduzidas: a definição do número máximo de representantes na Câmara dos Deputados (420) e a substituição do sistema de distribuição por patamares (utilizada na Primeira República e na República de 1946) pelo estabelecimento de um número máximo de representantes por estado (55).

No Quadro 1 (p.111), podemos observar que as normas introduzidas em 1977 são replicadas nas emendas constitucionais seguintes. A emenda nº 22, de 1982, simplesmente aumenta de dois para quatro o número mínimo de deputados por território e amplia para 479 o número total de deputados. A de nº 25, de 1985, eleva o total de representantes da Câmara dos Deputados, que chega a 487.

O tema da representação dos estados na Câmara dos Deputados ocupou um lugar marginal nos debates sobre o sistema representativo durante a Assembleia Constituinte de 1987-88. A distribuição rigorosamente proporcional à população dos estados encontrou poucos defensores, e o principal projeto apresentado propunha simplesmente a ampliação do teto de sessenta para setenta deputados, medida que visava a minorar a sub-representação de São Paulo. A proposta foi aprovada por 308 votos favoráveis e 166 contrários. Apesar do pequeno incremento da bancada paulista, as discussões que antecederam a votação revelam uma razoável resistência à mudança, sintetizada no discurso do deputado Osvaldo Coelho (PFL-PE):

> Senhores Constituintes, atentai para os fatos incontestáveis. A bancada de um estado da Federação, hoje com sessenta deputados, é maior ou igual à representação de oito outros estados brasileiros. Se elevado o número, como na proposta inicial, será igual ao de dez estados da federação. Que federação desequilibrada é essa? Que unidade é esta, proclamando o desequilíbrio? Estou aqui em

nome do meu estado e no de todos os estados do Brasil que estão na periferia de um único estado.¹²

Apesar de minorar a sub-representação de São Paulo na Câmara dos Deputados, a Constituição de 1988 agravou a sobrerrepresentação de algumas unidades da federação. O motivo foi a criação de três novos estados, que, mesmo com populações reduzidas, asseguraram a representação mínima de oito deputados: Tocantins, desmembrado do estado de Goiás, e Roraima e Amapá, elevados de territórios a estados. Em relação às regras de distribuição das cadeiras da Câmara dos Deputados, a Carta de 1988 foi muito pouco inovadora, seguindo os critérios adotados desde 1977. A única novidade foi que o número total de deputados deixou de ser especificado.

No começo do capítulo, fiz referência ao fato de que, nos Estados Unidos, desde a Independência, os legisladores optaram por uma representação dos estados na Câmara dos Deputados rigorosamente proporcional à sua população. Em contraste, no Brasil, sintomaticamente, observamos que a garantia da "melhor proporcionalidade possível" entre as bancadas e a população dos estados nunca foi uma questão para os legisladores. Durante as primeiras cinco décadas após a Independência do Brasil a inexistência de dados precisos sobre a população brasileira foi um problema, mas a partir da publicação dos resultados do censo de 1872 já era possível dimensionar as assimetrias entre as bancadas e o total de moradores das províncias. Mas isso não ocorreu.

A história das regras de distribuição das cadeiras no Brasil é marcada por contínuas modificações, desde a Constituição de 1891, com normas que favoreceram os estados menos populosos e prejudicaram os estados com populações mais numerosas. Outra característica é que, com exceção da República de 1946, não houve revisão periódica das bancadas dos estados na Câmara dos Deputados – mesmo quando isso era previsto na Constituição, como ocorreu durante a Primeira República.

A Constituição de 1988 referendou a tradição republicana de pisos e tetos e agravou as distorções ao criar um novo estado (Tocantins), conferir representação ao Distrito Federal e elevar dois territórios (Roraima e Amapá) à categoria de estado. Mas nada justifica que desde a promulgação da nova Carta nunca se tenha feito uma revisão das bancadas para ajustar a representação dos estados às mudanças demográficas ocorridas no país.

6. Reforma política no Brasil: uma breve história

Os PARLAMENTARES RESPONSÁVEIS por escrever a Constituição de 1988 foram prudentes em relação ao sistema representativo. Os constituintes confirmaram as escolhas do que podemos chamar de "tradição republicana", estabelecida pela Carta de 1934: presidencialismo, bicameralismo, federalismo, representação proporcional e voto obrigatório. As únicas mudanças dignas de nota foram a introdução da regra de dois turnos para a escolha do chefe do Executivo e a ampliação do direito de voto para jovens de dezesseis e dezessete anos.

Apesar do razoável consenso com que os temas da ordem política foram decididos na Assembleia Constituinte de 1987-88, já no começo dos anos 1990 a defesa de uma profunda reforma das instituições representativas começava a ganhar força no meio político. Aos poucos, o pacote de mudanças passou a ser chamado de "reforma política". O que teria acontecido para que as escolhas institucionais da Carta de 1988 passassem a ser alvo de tantos questionamentos poucos anos após sua promulgação?

A expressão "reforma política" começou a ser empregada com mais frequência no âmbito das discussões que antecederam o plebiscito de abril de 1993, quando os eleitores foram consultados a respeito da forma de governo (república ou monarquia) e do regime de governo (presidencialismo ou parlamentarismo). O argumento em defesa da reforma política é razoavelmente simples: qualquer mudança no sistema de governo exigiria uma profunda mudança das instituições eleitorais e das regras de organização dos partidos políticos. Como introduzir um novo sistema de governo com esses partidos? Como eleger o primeiro-ministro numa Câmara escolhida segundo um sistema eleitoral tão personalizado?

Eu próprio publiquei em 1993 um livro que, influenciado pelos debates do período, trazia no título os dois termos: *Sistema eleitoral e reforma política*. Revendo o capítulo que discutia especificamente a reforma política, observo que os temas mais diretamente ligados à alteração do sistema proporcional continuaram na agenda por mais de duas décadas: opções para a representação proporcional de lista aberta (voto majoritário distrital, lista fechada e lista flexível); redução da fragmentação partidária; proibição de coligações nas eleições proporcionais; adoção de cláusula de barreira.

O Brasil vive, desde meados da década de 1990, uma situação curiosa em relação a seu sistema representativo. De um lado, ouvimos um clamor de segmentos do meio político e jornalístico em defesa da reforma política. De outro, observamos uma alteração permanente da legislação partidária e eleitoral. Na prática, os legisladores e o Judiciário promoveram uma profunda mudança nas regras eleitorais e na legislação partidária durante o período, mas essa mudança não é considerada "*a* reforma política".

O Quadro 2 lista as principais mudanças introduzidas na legislação eleitoral e partidária a partir da promulgação da Constituição de 1988 até 2015. Durante essas duas décadas foram aprovadas

QUADRO 2. Mudanças mais relevantes na legislação eleitoral
e partidária pós-1988 até 2015

Área	Ano	O que foi introduzido	Observações
Legislação eleitoral	1993	Permissão de que empresas doem recursos para as campanhas eleitorais	As eleições de 1994 foram as primeiras desde 1985 em que as empresas puderam formalmente fazer doações para as campanhas
Legislação eleitoral	1994	Redução da duração do mandato de presidente de cinco para quatro anos	Mudança aprovada durante a Revisão Constitucional de 1993-94, prevista para ocorrer cinco anos após a promulgação da Constituição de 1988
Legislação partidária	1995	Nova Lei dos Partidos políticos	Substituição da Lei dos Partidos de 1971. Criação de novas regras para o Fundo Partidário, que passaria a ser fundamental para a manutenção dos partidos. Criação da cláusula de desempenho, que passaria a vigorar na Câmara dos Deputados eleita em 2006
Sistema de votação	1996	Adoção da urna eletrônica	Adoção da urna eletrônica experimentalmente nas eleições municipais de 1996, ampliada em 1998 e adotada em todo o território brasileiro a partir de 2000
Legislação eleitoral	1997	Possibilidade de presidente, governadores e prefeitos se candidatarem a um mandato sucessivo	A emenda constitucional permitiu que o então presidente Fernando Henrique Cardoso e os governadores eleitos em 1994 fossem beneficiados pela regra
Sistema eleitoral	1997	Os votos em branco deixam de ser contabilizados no cálculo do quociente eleitoral	Única mudança no sistema proporcional desde 1950
Legislação eleitoral	1997	Lei definitiva das eleições	Até as eleições de 1996 o Congresso elaborava uma legislação para cada eleição
Legislação eleitoral	2002	Regra da verticalização	Decisão do TSE proibindo que os partidos coligados na disputa presidencial participassem, nos estados, de coligações que apoiassem outros candidatos à Presidência da República. Vigorou nas eleições de 2002 e 2006
Legislação eleitoral	2006	Suspensão da regra da verticalização	Emenda constitucional assegura total liberdade para os partidos realizarem coligações nos estados e nacionalmente

Área	Ano	O que foi introduzido	Observações
Legislação partidária	2007	Suspensão da cláusula de desempenho	O STF declarou inconstitucional artigo da Lei dos Partidos (1995) que criava a cláusula de desempenho
Legislação partidária	2007	Proibição de troca de legenda	Decisão do TSE, depois confirmada pelo STF, que pune com perda de mandato a troca de legenda
Legislação eleitoral	2010	Lei da Ficha Limpa	Lei complementar que proíbe a candidatura a cargos eletivos de indivíduos condenados por corrupção eleitoral e improbidade administrativa, entre outras penas
Legislação partidária	2015	Janela partidária	Emenda constitucional permitiu que durante um mês de 2016 os políticos mudassem livremente de partido
Legislação eleitoral	2015	Proibição de empresas doarem para campanhas e partidos políticos	O STF declarou inconstitucional a doação de empresas para as campanhas eleitorais. A norma passou a valer para as eleições de 2016

uma nova Lei dos Partidos e uma lei definitiva das eleições; o Fundo Partidário passou a ser a principal fonte de financiamento das legendas; a urna eletrônica foi adotada e a doação empresarial para as campanhas eleitorais passou a ser permitida por lei.

Um aspecto que chama atenção no Quadro 2 é que, desde 2002, as principais mudanças na legislação eleitoral decorreram de decisões do Judiciário (do TSE e do STF). Os dois órgãos foram responsáveis pela criação da regra de verticalização,* pela suspensão da cláusula de desempenho,** pelo veto à troca de

---

* Ver a nota da p.37.
** A cláusula de desempenho é o nome pelo qual ficou conhecido o conjunto de regras restritivas criadas pela lei 9.096 (Lei dos Partidos) de 1995. Ela estabelecia que os partidos só teriam direito a funcionamento parlamentar (em todas as casas legislativas) caso obtivessem no mínimo 5% dos votos para deputado federal em âmbito nacional, distribuídos por pelo menos treze dos estados (com 2% em cada um deles). Os partidos que não atingis-

legenda e pela proibição, a partir de 2015, de que as empresas doem verbas para os partidos e campanhas eleitorais. Nesse período, as únicas mudanças importantes aprovadas pelo Congresso foram a Lei da Ficha Limpa e a emenda constitucional que garantiu aos partidos a liberdade de celebrar nos estados coligações diferentes das que fazem na disputa presidencial.

Os três ciclos do debate sobre o sistema eleitoral

Desde 1995 vêm se criando comissões especiais de reforma política na Câmara dos Deputados ou no Senado, às vezes até nas duas casas simultaneamente.* Nesse período, as propostas apresentadas pelas comissões foram incorporadas à legislação eleitoral – quando se tratava de mudanças pouco controversas – ou simplesmente arquivadas. Um dos mistérios do debate político no país é por que há esse fascínio pelo tema da reforma política. Por que o assunto volta a cada legislatura? Por que nenhum relatório parece contemplar a maioria dos deputados e é simplesmente esquecido?

Acredito que a sensação de incompletude da reforma política deve-se ao fato de que o tema central de todas as comissões

---

sem a cláusula teriam acesso a uma quota reduzida do Fundo Partidário e direito apenas a dois programas por ano, de dois minutos cada, em cadeia nacional de rádio e televisão.

*Participei como depoente em audiências públicas das três comissões de reforma política que funcionaram na Câmara dos Deputados entre 2003 e 2015, relatadas pelos deputados Ronaldo Caiado (DEM-GO), Henrique Fontana (PT-RS) e Marcelo Castro (PMDB-PI). A análise desta seção é muito influenciada por essa experiência.

tem sido a mudança no sistema proporcional. Como nenhuma das propostas apresentadas – seja para substituí-lo por outro sistema eleitoral (majoritário distrital, distrital misto ou distritão), seja para trocá-lo por outra versão de representação proporcional (lista aberta, lista flexível) – foi aprovada, prevalece a noção de que a reforma não foi feita.

O debate sobre a reforma do sistema eleitoral brasileiro passou por três ciclos diversos, cada um deles centrado em um tipo de projeto. Trataremos de cada um deles em seguida, mas resumidamente: o primeiro ciclo vai da redemocratização até o final dos anos 1990, período em que a proposta dominante foi a do sistema *distrital misto* – nome genérico que unifica diversas sugestões defendendo que os deputados deveriam ser eleitos por dois sistemas eleitorais combinados. O segundo ciclo, iniciado em 2003, propôs a manutenção da representação proporcional, mas com outro formato de eleição de deputados, a *lista fechada*. O último ciclo, iniciado a partir de 2011, concentrou-se na substituição da representação proporcional por um sistema majoritário conhecido por *distritão*.

A era do distrital misto

Nos primeiros anos da redemocratização, até o fim da década de 1990, o voto distrital misto foi o modelo que conquistou maior adesão entre os que advogavam um novo sistema eleitoral para o país. Os projetos variaram em seus aspectos técnicos, mas em linhas gerais defendiam que uma parte dos deputados fosse eleita pelo voto distrital, e outra parte pelo voto proporcional de lista fechada. Sem resposta consistente para um conjunto de questões, as propostas foram perdendo apoio no meio político. Por exemplo: quais critérios seriam empregados para delinear o território das circunscrições (distritos) eleitorais? Um candidato poderia concorrer simultaneamente na lista e no distrito? Quantas cadeiras seriam ocupadas pelos eleitos no sistema de lista? O sistema seria adotado nas disputas para as Assembleias Legislativas e Câmaras Municipais?*

Durante a Assembleia Constituinte, uma proposta de eleição que sugeria uma combinação de voto distrital e representação proporcional chegou a ser apreciada no plenário, mas foi derrotada, recebendo apenas 29% de votos.** O Anexo 2 mostra o resultado final da votação da proposta do distrital misto, por partido. As bancadas das duas maiores legendas (PMDB e PFL) dividiram-se. O PDS foi o único partido que votou majoritariamente a favor do novo sistema. Todos os deputados dos partidos da esquerda (PDT, PT, PCdoB, PCB e PSB) votaram contra a aprovação do sistema misto.

---

* Apesar da "onda" do distrital misto, nenhum projeto bem fundamentado tecnicamente foi apresentado ou chegou a servir como referência para o debate. A maioria das propostas defendia uma combinação dos dois modelos de maneira genérica, ou mencionava as virtudes do "sistema alemão", já que a Alemanha é o caso mais bem-sucedido de sistema misto.

** O texto votado era bastante genérico: "A Câmara dos Deputados compõe-se de representantes do povo, eleitos em cada estado e territórios e no Distrito Federal através do voto distrital e do voto proporcional, nas condições estabelecidas em lei" (*Diário da Assembleia Nacional Constituinte*, ano 2, n.205, 15 mar 1988, p.90).

Mudando a forma de eleger deputados no sistema proporcional: a lista fechada

Em 2003, a Câmara dos Deputados criou uma comissão especial para tratar da reforma política que foi presidida pelo deputado Alexandre Cardoso (PSB-RJ) e relatada pelo deputado Ronaldo Caiado (PFL-GO). A comissão promoveu duas mudanças em relação aos projetos apresentados no Congresso anteriormente. A primeira foi circunscrever suas propostas apenas ao âmbito da legislação partidária e eleitoral, sem apresentar mudanças para o texto constitucional. A segunda foi manter a representação proporcional, mas com a modificação do formato de lista, que seria substituída pela lista fechada.

O diagnóstico feito pelos parlamentares que conduziram os trabalhos da Comissão Caiado, como ficou conhecida, é que a grande mazela do sistema representativo brasileiro estaria no modo como as campanhas eleitorais são financiadas. Por isso, o ponto central do projeto era a proposta de financiamento exclusivamente público das campanhas eleitorais.[1]

A proposta de lista fechada foi defendida sobretudo porque era a forma mais simples de viabilizar o financiamento público. No entender dos deputados, seria impossível combinar lista aberta e financiamento público, pois não haveria como fiscalizar as centenas de candidatos que concorrem a deputado em cada estado. Portanto, a lista fechada entrou no debate mais como consequência da defesa do financiamento público das campanhas do que como uma opção justificada por um novo sistema eleitoral.

A despeito da forte oposição de três partidos de centro-direita (PTB, PP e PL), sobretudo pela ideia de "fechar" a lista, o projeto da Comissão Caiado foi aprovado na Comissão de Constituição e Justiça (CCJ) da Câmara e estava pronto para ir a votação em plenário. Mas não foi. Nenhum dos três parlamentares – João Paulo (PT-SP), Severino Cavalcanti (PP-PE) e Aldo Rebelo (PCdoB-SP) – que presidiram a Câmara dos Deputados durante a legislatura de 2003-07 demonstrou interesse em submetê-lo a votação.

A crise que a Câmara dos Deputados viveu em 2006, com as denúncias do "escândalo dos sanguessugas",* recolocou o tema da reforma política em discussão durante a campanha eleitoral daquele ano. Os principais candidatos à Presidência da República mencionaram explicitamente o tema, e, no discurso que o presidente Lula fez na avenida Paulista no dia em que foi reeleito, o assunto recebeu destaque especial.[2]

O novo presidente da Câmara dos Deputados, Arlindo Chinaglia, ao tomar posse em 2007 anunciou que iria submeter o projeto da Comissão Caiado ao plenário. Na iminência da votação, um intenso debate tomou conta da Câmara. Aos poucos foi ficando claro que havia expressivo apoio dos parlamentares ao sistema exclusivamente público de financiamento de campanha, mas enormes resistências à adoção da lista fechada. Muitos deputados, sobretudo os que não pertenciam à elite parlamentar, temiam as incertezas do novo sistema eleitoral.

---

* Após a deflagração, em maio de 2006, da Operação Sanguessuga da Polícia Federal, que investigava fraudes em licitações na área da saúde, o Congresso Nacional criou uma Comissão Parlamentar de Inquérito (CPI) para investigar o assunto. O relatório da comissão recomendou a abertura de processo de cassação do mandato de 72 parlamentares.

A maior delas pode ser resumida em uma pergunta: em que posição ficarei na lista do meu partido?

A lista fechada foi votada, e derrotada, no dia 27 de junho de 2007. A proposta recebeu 182 votos a favor (42% do total) e 251 contra (57% do total). O Anexo 3 mostra como os partidos votaram e deixa claro que a posição que assumiram na votação não teve nada a ver com a posição no eixo direita-esquerda ou governo-oposição. O apoio à lista fechada contou com uma inusitada aliança entre o PT e o DEM. No PT, 72 dos 74 deputados votaram a favor da proposta; entre os deputados do DEM, a lista fechada obteve 42 dos 51 votos. A bancada do PMDB dividiu-se, com 42 votos contra e 33 favoráveis. O PP, o PR e o PTB, que vinham fazendo cerrada oposição à reforma política desde 2003, votaram contra, a mesma posição de dois partidos de centro-esquerda (PSB e PDT). O PSDB, que desde a Constituinte defendia o projeto do voto distrital misto, votou majoritariamente contra.*

A derrota da lista fechada acabou inviabilizando a proposta de introdução do financiamento exclusivamente público de campanha. Os principais defensores da nova modalidade de custeio tinham consciência de que ela seria inviável no atual sistema de lista aberta.

Na legislatura da Câmara dos Deputados iniciada em 2011, tendo por presidente Marco Maia (PT-RS), organizou-se uma

---

* O PSDB apoiou a proposta de lista fechada até praticamente o dia da votação. No último momento, mudou de posição. Algumas explicações circularam no meio político. Uma era de que o partido temia que o voto na legenda acabasse favorecendo o PT, agremiação mais organizada e preferida nas enquetes de opinião pública. Outra é que o PSDB temia que o financiamento público de campanha acabasse viabilizando outras candidaturas de oposição na disputa presidencial de 2010.

nova comissão especial de reforma política, presidida por Almeida Lima (PMDB-SE) e relatada pelo deputado Henrique Fontana (PT-RS). A principal proposta apresentada pela Comissão Fontana, como ficou conhecida, foi mais uma vez a aprovação do financiamento exclusivamente público das campanhas eleitorais. Depois da derrota da lista fechada no plenário, em 2007, os membros da comissão viram-se diante do desafio de encontrar um novo sistema eleitoral que fosse adequado ao custeio público de campanha.

A sugestão feita pela Comissão Fontana, em relatório apresentado em outubro de 2011, foi a adoção de um sistema chamado proporcional misto. Na realidade, trata-se de um modelo extremamente complexo, em que metade dos deputados de cada estado seria eleita em lista fechada e metade continuaria a ser eleita por lista aberta.* O projeto submetido pela comissão não foi recebido com muito entusiasmo pelo conjunto de deputados. Em abril de 2013, as lideranças dos partidos resolveram não analisá-lo em plenário.

O descaso com o trabalho da Comissão Fontana ficou evidente quando, em julho de 2013 (ainda na mesma legislatura), foi instituído um grupo de trabalho para a reforma política, composto por quatorze deputados e presidido por Cândido Vaccarezza (PT-SP). O grupo foi criado às pressas, no âmbito do debate que

---

*O sistema proposto previa que o eleitor daria dois votos: o primeiro em legenda, que seria transferido para uma lista pré-ordenada pelo partido, e o segundo diretamente em um candidato (que poderia ser de um partido diferente do primeiro voto). As cadeiras conquistadas pelos partidos seriam preenchidas alternadamente por nomes da lista pré-ordenada e pelos candidatos individualmente mais votados do partido.

se seguiu às manifestações de junho de 2013, no qual a rejeição aos políticos e ao Legislativo ganhou enorme intensidade.

O grupo apresentou suas propostas enfatizando as mudanças constitucionais: fim do voto obrigatório, fim da reeleição para cargos do Executivo, estabelecimento de uma cláusula de desempenho de 5% (somente partidos com esse patamar de votos nas eleições para a Câmara teriam acesso aos recursos do Fundo Partidário e a tempo de propaganda em rádio e TV). Em relação ao sistema eleitoral, a comissão inovava ao sugerir uma modalidade em que parte dos deputados seria eleita pelo modelo atual (com a diferença de que seriam criados distritos eleitorais de quatro a sete lugares em cada estado) e parte seria eleita por um sistema majoritário.

É significativo que duas comissões de reforma política tenham sido criadas numa mesma legislatura. Contudo, o que mais chama atenção é a diferença entre as propostas apresentadas: isso demonstra que as prioridades numa reforma política dependem em larga medida da preferência dos deputados especialistas que compõem a comissão. O fato de os partidos (e suas bancadas no Congresso) não terem um programa de reforma política aumenta a importância das comissões especiais organizadas para tratar do assunto.

Ascensão e queda do distritão

Em 2015, às vésperas do início da nova legislatura, tive a oportunidade de participar de um debate com os candidatos à Presidência da Câmara dos Deputados. Na ocasião, todos os quatro concorrentes se comprometeram explicitamente a criar uma nova comissão de reforma política e levar seus resultados à análise do plenário.*

Eleito, o deputado Eduardo Cunha (PMDB-RJ) iria cumprir a promessa. Durante três dias de maio (de 25 a 27), o plenário da Câmara votou, em sequência, um volume impressionante de temas ligados à representação política: novo sistema eleitoral; fim da reeleição para cargos do Executivo; fim do voto obrigatório; mudança no calendário eleitoral; novas regras de financiamento de campanha; perda do mandato por troca de legenda. Nunca, fora do período de uma Assembleia Constituinte, o Legislativo brasileiro deliberou em plenário sobre tantos temas de ordem política.

Uma das primeiras decisões de Eduardo Cunha foi criar uma comissão especial a fim de analisar o tema da reforma política. Para presidi-la, foi nomeado o deputado Rodrigo Maia (DEM-RJ), e a relatoria ficou a cargo do deputado Marcelo Castro (PMDB-PI). À maneira das anteriores, a comissão ouviu especialistas, líderes de organizações e dirigentes partidários. No fim dos trabalhos, o relator apresentou um texto com suas sugestões.

O relatório de Marcelo Castro propunha o fim da reeleição para cargos do Executivo (presidente, governadores e prefeitos), a mudança na regra de eleição de suplentes de senadores (que passariam a ser os mais votados, subsequentemente aos eleitos em cada estado), a adoção de um sistema misto de financiamento de campanha (parte de um fundo público a ser criado,

---

* Os candidatos à Presidência da Câmara dos Deputados eram: Eduardo Cunha (PMDB-RJ), Arlindo Chinaglia (PT-SP), Júlio Delgado (PSB-MG) e Chico Alencar (PSOL-RJ).

parte de financiamento privado), mandato de cinco anos para todos os cargos, incluindo senadores. Mas a grande novidade foi a proposta de substituir a representação proporcional de lista aberta por um modelo majoritário, o "distritão".*

Como vimos, todas as propostas de reforma eleitoral anteriores mantiveram a representação proporcional, fosse na versão que a combinava com o voto distrital (sistema distrital misto), fosse nas propostas de reforma da lista (lista fechada ou mista). A sugestão de adoção do distritão e, consequentemente, da substituição da representação proporcional por um sistema majoritário foi algo inédito no debate parlamentar do atual ciclo democrático.**

"Distritão" foi o apelido que o meio político brasileiro deu a um sistema eleitoral conhecido entre os estudiosos como *voto único não transferível*. A ideia é bastante simples. Em cada

---

* O esforço concentrado para aprovar a qualquer custo uma reforma política alterando itens centrais do sistema representativo brasileiro foi malsucedido. O único tema relevante aprovado foi o fim da reeleição para cargos do Executivo, emenda constitucional aprovada em duas votações na Câmara e que seguiu para o Senado. Quanto ao distritão, embora o relator Marcelo Castro seja um dos principais defensores da representação proporcional na Câmara dos Deputados, ele se comprometeu a incluir no relatório a posição majoritária da comissão. Na consulta a seus integrantes, as duas propostas mais citadas foram o distritão, que recebeu dezoito votos, e o distrital misto, que obteve quatorze votos. A esse respeito, ver http://www2.camara.leg.br/camaranoticias/noticias/POLITICA/487803-RELATORIO-FINAL-DA-REFORMA-POLITICA-INCLUI-DISTRITAO-E-SISTEMA-MISTO-DE-FINANCIAMENTO-DE-CAMPANHAS.html.

** É frequente eu ler artigos de intelectuais e colunistas, bem como editoriais na imprensa, em defesa do voto distrital, que, para se diferenciar do distrital misto, recebe o adjetivo "puro". Apesar de seu aparente apelo, nenhuma proposta de introdução do voto distrital prosperou no debate legislativo desde 1985. Sobre os sistemas majoritários em geral, ver Nicolau, 2012, p.21-42.

estado, os partidos apresentam uma lista de candidatos, e o eleitor pode votar apenas em um nome. Os candidatos mais votados do estado estão eleitos. Observe que no distritão os votos de um candidato de um partido não são somados aos de outros candidatos desse mesmo partido (daí a qualificação de "não transferível"). O modelo foi utilizado em diversos países da Europa durante o século XIX, antes da emergência da representação proporcional e da consolidação do voto majoritário em distritos de um representante. O último país importante a usar o *voto único não transferível* foi o Japão, que o adotou até 1994, quando ele foi substituído por um sistema misto.

O distritão apareceu pela primeira vez no debate sobre a reforma política em 2011. Seu principal entusiasta era o vice-presidente Michel Temer, que o defendeu em entrevistas e artigos na imprensa. Em 2015, a proposta foi incorporada ao programa do PMDB e passou a ser advogada com entusiasmo pelo presidente da Câmara dos Deputados, Eduardo Cunha, e pelo presidente da comissão de reforma política, Rodrigo Maia. O principal argumento utilizado pelos defensores do distritão é que ele é um sistema simples, fácil de ser entendido pelos eleitores e que não permite que os candidatos mais votados sejam excluídos da lista de deputados eleitos.*

Em maio de 2015, o presidente Eduardo Cunha decidiu levar a proposta de votação da reforma política a plenário, embora o projeto elaborado pelo deputado Marcelo Castro ainda não

---

*No Capítulo 2 sustentei que essa visão decorre de um entendimento incorreto do sistema proporcional no Brasil. O sistema tem como fundamento garantir que os partidos recebam uma representação próxima à sua votação. Não é seu objetivo assegurar que os candidatos mais votados do estado sejam eleitos.

tivesse sido votado na comissão. Para viabilizar seu intento, Cunha destituiu o relator, e o presidente da comissão, Rodrigo Maia, foi nomeado para relatar a reforma política diretamente no plenário.[3] A implicação dessa decisão foi que o trabalho da comissão foi ignorado, e a reforma seria votada a partir de tópicos definidos pelo novo relator.*

A votação sem um projeto-guia se deu de maneira confusa. Os deputados tiveram de escolher entre alguns temas que não haviam sido debatidos previamente na legislatura, iniciada poucos meses antes; entre esses temas, destaco o fim do voto obrigatório e da reeleição para chefe do Executivo. Na noite do dia 26 de maio, três propostas de introdução de um novo sistema eleitoral foram votadas e derrotadas no plenário. A primeira delas foi a lista fechada, rejeitada por 402 votos contra e apenas 21 a favor. A segunda foi uma proposta de voto distrital misto, defendida por PT e PSDB, que obteve 99 votos favoráveis e 369 contrários. A terceira proposta a ir a votação foi a que defendia o distritão.

A proposta do distritão recebeu 267 votos contrários e 210 a favor. Mesmo ficando longe dos 308 votos necessários para sua aprovação (tratava-se de uma emenda constitucional), o distritão foi a proposta de alteração do sistema eleitoral que contou com mais apoio desde 1945, quando a representação proporcional de lista foi adotada. O Anexo 4 mostra como

---

* Por que razão o deputado Eduardo Cunha quis votar o projeto de reforma com tanta celeridade? Em entrevista em seu gabinete, poucos dias antes da votação, indaguei-lhe as razões da pressa. Ele revelou que gostaria de deixar a reforma política como uma das marcas de seu mandato. E, para entrar em vigor já nas eleições do ano seguinte, ela teria de ser aprovada até o fim do mês de maio.

a bancada de cada partido votou. O PT foi a principal força contrária ao distritão. A ele se somaram PR, PRB e PDT, cujas bancadas votaram integralmente contra. O PSDB, de início favorável à proposta, acabou se dividindo no momento da votação. O único partido que votou unanimemente a favor do distritão foi o PCdoB. A proposta contou ainda com a maioria dos deputados de PMDB, PP, PTB e DEM.

Por que a reforma do sistema eleitoral não acontece?

No começo deste capítulo, chamei atenção para um aspecto paradoxal da democracia brasileira. De um lado, observamos mudanças constantes das normas que regulam as campanhas eleitorais e os partidos políticos desde o começo dos anos 1990. De outro, a sensação veiculada pelos meios de comunicação e pelo próprio Congresso, ao criar suas comissões, de que ainda precisamos fazer *"a reforma política"*.

Acredito que o tema sempre retorne à agenda porque boa parte do debate sobre a reforma política concentra-se na mudança do sistema eleitoral, que não ocorre. Na breve retrospectiva aqui apresentada, fica evidente o quanto os legisladores buscaram alternativas de novos sistemas eleitorais. Em menos de uma década, cinco propostas diferentes foram votadas pelo plenário da Câmara dos Deputados: lista fechada e lista mista (2007); distrital misto, lista fechada e distritão (2015).

Por que os deputados opõem-se tanto à alteração do sistema eleitoral brasileiro? A resposta mais óbvia – e quase um clichê – é que os representantes de todo o mundo resistem a mudar as regras pelas quais foram eleitos. É bem conhecida a força inercial que predomina depois que determinado sistema eleitoral passa a vigorar em uma democracia. Isso explica em larga medida o fato de mudanças abruptas dos sistemas eleitorais não serem comuns. Contudo, embora incomuns, as reformas são realizadas, sobretudo em situações nas quais existe alguma pressão por parte da opinião pública para isso.[4]

Acredito que três aspectos contribuíram para que o debate sobre a reforma do sistema eleitoral tenha se desenvolvido de maneira tão pouco consequente no Brasil. O primeiro, por incrível que pareça, é a inexistência de um diagnóstico mais ou menos consensual a respeito de quais problemas realmente se quer combater com a eventual reforma. Sistemas eleitorais novos foram defendidos simplesmente porque combinam o melhor de dois mundos (distrital misto), porque viabilizam o financiamento público das campanhas eleitorais (lista fechada) ou porque atendem aos interesses de parte da elite parlamentar (distritão). Em que cada uma dessas propostas realmente contribui para melhorar a representação política no Brasil? O que perderíamos ao optar por elas?

O segundo aspecto é que o debate sobre o tema mobiliza na prática apenas os deputados que se especializaram no assunto e segmentos da elite parlamentar. Os milhares de vereadores, as centenas de deputados estaduais e os deputados federais em geral não demonstram nenhum interesse em discutir o tema. É sintomático que nenhum dos partidos brasileiros disponha de propostas detalhadas de reforma do sistema eleitoral. O PT, defensor da lista fechada, votou em 2015 a favor do distrital misto. A bancada do PSDB, partido que apoiava o distrital misto, dividiu-se na votação do distritão. O PCdoB, tradicional advogado da representação proporcional, fechou questão a favor do distritão nas votações ocorridas em 2015.

Por fim, o assunto também não interessa aos eleitores. O debate sobre mudanças no sistema eleitoral necessariamente comporta uma dimensão técnica que dificulta sua amplificação. Mesmo no contexto das manifestações de junho de 2013, em que a crítica à política tradicional apareceu com força, a discussão sobre a reforma política não entusiasmou os cidadãos e as organizações da sociedade civil. Eu posso testemunhar esse desinteresse: em duas décadas, participei de inúmeros debates acadêmicos, com políticos e dirigentes partidários, sobre o tema – mas de não mais do que uma dezena de eventos semelhantes em associações e organizações não governamentais.

7. Uma reforma da legislação eleitoral e partidária para o Brasil

As democracias enfrentam uma série de desafios atualmente. Como evitar o declínio contínuo do comparecimento às urnas? Na era da comunicação eletrônica, como atrair os cidadãos para se engajar em uma organização (partido) inventada no século XIX? Como reconfigurar os legislativos de modo a concorrer com o crescente poder das organizações não eleitorais (instituições de controle e Judiciário)? Como regular a influência do dinheiro nas campanhas eleitorais e na atividade partidária? Qual é o melhor formato para garantir que grupos emergentes na sociedade encontrem seu espaço na representação política? Como selecionar cidadãos qualificados para militar nos partidos?[1]

Nenhuma reforma eleitoral pode dar respostas satisfatórias a essas perguntas. Mas é interessante observar como alguns países vêm tentando superar esses novos desafios. Um caso exemplar é o do Reino Unido, que tem feito um grande esforço para modernizar suas instituições representativas. Desde 2000, quando criou um órgão específico para regular os partidos e as eleições – The Electoral Commission –, o país aprovou uma legislação inovadora em vários tópicos, em particular no controle do financiamento das campanhas eleitorais.[2] Outrora modelo de democracia majoritária, o Reino

Unido recentemente introduziu mudanças no sistema eleitoral para garantir a representatividade dos partidos menores. Hoje a representação proporcional é adotada nas eleições para o Parlamento Europeu e para as Assembleias de Escócia, País de Gales e Irlanda do Norte.

Talvez o resultado mais negativo desse interminável debate sobre a reforma política no Brasil tenha sido o aumento da expectativa em relação aos seus resultados. É comum ouvir analistas políticos sugerirem que a reforma poderia produzir uma elite política mais qualificada, que determinado sistema eleitoral é menos propenso à corrupção, que o voto facultativo levaria às urnas eleitores muito mais conscientes, ou que o voto distrital aproximaria representado e representante. Os estudos sobre o funcionamento das instituições representativas de outras democracias mostram quanto existe de idealização em todas essas expectativas.

As minhas expectativas em relação a uma reforma política são bem mais modestas. Acredito que a reforma eleitoral possa, por exemplo, valorizar os partidos, criar regras mais justas de distribuição de poder parlamentar, gerar maior equilíbrio na competição e reduzir a alta dispersão partidária.[3] Esse é o espírito que orienta este capítulo. A ideia é apresentar algumas propostas para a reforma da legislação eleitoral e partidária do Brasil. Por razões que devem ter ficado claras para quem leu o capítulo anterior, não acredito que necessitemos de uma reforma política. Defendo que pequenas mudanças são suficientes para corrigir os principais problemas que afetam o sistema eleitoral e a legislação que regula as eleições e as atividades partidárias.

Na seleção dos temas a serem discutidos neste capítulo, além da relevância, procurei seguir certo realismo político. Ainda que eu tenha predileção por determinadas opções, sei que a probabilidade de elas serem aprovadas é muito reduzida. Para ficar em dois exemplos: a adoção da lista flexível (ou até, quem sabe, de um sistema misto, tal como o usado hoje na Escócia) e a defesa de que a Câmara dos Deputados é uma casa que representa a população, e por isso as bancadas dos estados deveriam ser rigorosamente proporcionais a seus contingentes populacionais.*

Assim, as propostas que apresento aqui foram orientadas por três objetivos: reduzir a hiperfragmentação partidária, corrigir alguns efeitos negativos do sistema eleitoral e fortalecer os partidos políticos. Apresento sugestões razoavelmente simples, que, com a possível exceção da cláusula de barreira nacional, podem ser aprovadas por legislação ordinária. O Quadro 3 mostra a associação entre os objetivos gerais e cada uma das propostas.

---

* Neste capítulo não abordei a discussão sobre a reforma do financiamento das campanhas e dos partidos. Acredito que as principais decisões sobre o tema já foram tomadas pelo Judiciário (proibição de doação de empresas para partidos e campanhas; definição de tetos de gastos nos municípios) e pelo Congresso (redução do tempo da campanha e aumento expressivo do montante do Fundo Partidário). Terminei este capítulo após a realização das eleições de 2016. Minha avaliação é que o fim do financiamento de empresa significou um grande avanço. A campanha de 2016 foi muito mais barata do que as eleições municipais anteriores (2012), e, pela primeira vez, a Justiça Eleitoral identificou as fraudes antes do pleito. Com pequenas mudanças – o aperfeiçoamento da fiscalização e a definição de tetos por doador –, a nova norma é passo importante para termos uma boa legislação sobre o tema.

QUADRO 3. Propostas de reforma da legislação partidária e eleitoral do Brasil

Objetivos	Propostas
Redução da hiperfragmentação partidária	• Proibição de coligações • Cláusula de barreira nacional de 1,5% • Acesso ao Fundo Partidário e a tempo de rádio e TV apenas para os partidos que receberem no mínimo 1,5% dos votos
Correção de distorções no sistema representativo	• Proibição das coligações • Fim da cláusula de barreira nos estados • Correção do número de cadeiras de cada estado na Câmara dos Deputados
Fortalecimento dos partidos	• Proibição de coligações • Acesso ao Fundo Partidário e a tempo de rádio e TV apenas para os partidos que receberem no mínimo 1,5% dos votos

Qual sistema eleitoral?

O Brasil adota a representação proporcional de lista aberta para eleger deputados e vereadores desde 1945. Há poucas regras tão duradouras na história das eleições no Brasil. A representação proporcional resistiu a duas Assembleias Constituintes (1946 e 1987-88) e passou incólume pelas constantes mudanças das regras eleitorais durante o Regime Militar. Como vimos no capítulo anterior, desde o começo dos anos 1990 diferentes comissões organizadas no Congresso sugeriram sua substituição ou a combinação com alguma variedade de modelo majoritário. Nenhuma delas foi bem-sucedida.

Uma das grandes virtudes do sistema proporcional foi sua capacidade de assegurar que as forças políticas emergentes com o processo de modernização da sociedade brasileira encontrassem um rápido abrigo no Legislativo. Isso aconteceu com o PCB nas eleições de 1945; com o PTB e a UDN a partir dos anos 1950; com o MDB ao longo do Regime Militar; e com o PT, os partidos comunistas (PCB e PCdoB) e o PSDB desde a redemocratização.

Ser defensor do modelo proporcional é sobretudo defender seu princípio geral: "O propósito da eleição é garantir que as cadeiras sejam distribuídas em proporção aos votos recebidos pelos partidos." Na prática, a representação proporcional pode ser viabilizada de diversas maneiras: usando diferentes modelos de listas e de fórmulas matemáticas, e com circunscrições (distritos) eleitorais que elegem um número variável de deputados. Por isso, não encontramos duas democracias "proporcionalistas" que utilizem as mesmas regras.

Estou convencido de que o sistema proporcional é o modelo mais adequado para as democracias contemporâneas, particularmente por sua capacidade de representar de modo mais preciso a preferência dos eleitores.[4] Porém, no caso do Brasil, sustento que alguns de seus componentes não funcionam a contento e deveriam ser substituídos.

Mudança da fórmula eleitoral: fim das coligações e da cláusula de barreira estadual

Os efeitos negativos produzidos pela regra da coligação foram extensivamente examinados no Capítulo 2. Além de contribuir para a fragmentação partidária, as coligações acabam violando o princípio proporcional ao gerar resultados absurdos quando comparamos os votos e as cadeiras de cada partido. Não há justificativa para que ela continue em vigor.

O problema é que o simples veto à coligação "fortalece" o efeito de uma outra regra – a que proíbe que os partidos que não atingiram o quociente eleitoral participem da distribuição de cadeiras –, em especial nos estados com número menor de representantes na Câmara dos Deputados. Em um quadro partidário tão fragmentado como o brasileiro, o resultado pode ser avassalador para os partidos com votações modestas (e até médias) em alguns estados. Nas eleições de 2014 para a Câmara dos Deputados, por exemplo, em Sergipe e Roraima, cada um dos oito deputados foi eleito por um partido diferente. Na vigência da simples proibição de coligação, apenas dois partidos elegeriam deputados em Sergipe (PT e PTB), enquanto em Roraima os oito deputados seriam eleitos por um só partido (PSDB).

A sugestão para que não se introduza uma distorção de novo tipo é simples: o veto às coligações deve ser acompanhado da permissão para que os partidos que não atingiram o quociente possam disputar as cadeiras das sobras. Esse sistema distribuiria as cadeiras seguindo a fórmula utilizada na maioria dos países que adotam o sistema proporcional de representação, conhecida como fórmula D'Hondt.*

---

* A fórmula D'Hondt é uma fórmula de divisores – os votos de cada partido são divididos em ordem crescente por uma sequência de números (1, 2, 3, 4, 5...) até que todas as cadeiras sejam ocupadas. O uso do quociente eleitoral com o emprego das maiores médias proposto aqui produz o mesmo resultado da fórmula D'Hondt. Para detalhes, ver Nicolau, 2012a, p.51-8.

Introdução de uma cláusula de barreira nacional

Muitos países que assumem a representação proporcional lançam mão de uma cláusula de barreira nacional, que é o patamar mínimo de votos (em geral variando entre 3% e 5% dos votos) a ser atingido pelo partido a fim de eleger representantes para a Câmara dos Deputados; caso o partido não ultrapasse esse patamar, seus votos são eliminados e ele não participa da distribuição de cadeiras. O objetivo da cláusula de barreira é muito simples: evitar que partidos com votação reduzida elejam representantes. E o patamar ótimo para excluir um partido da representação varia de acordo com cada democracia: na Holanda é de apenas 0,67%, enquanto na Turquia é de 10%.[5]

A Lei dos Partidos brasileira, de 1995, previu a introdução, a partir das eleições de 2006, de uma regra assegurando que apenas as agremiações que tivessem recebido 5% dos votos válidos (com pelo menos 2% dos votos em no mínimo ⅔ dos estados) teriam direito a "funcionamento parlamentar". A expressão "funcionamento parlamentar" deu margem a uma série de controvérsias. Mas o entendimento dominante é de que não se tratava de uma cláusula de barreira *stricto sensu*, ou seja, os deputados eleitos por partidos que obtiveram menos de 5% não perderiam os mandatos. Eles perderiam benefícios no interior do Congresso (assento no colégio de líderes, participação em comissões, sala própria e assessores).

Em dezembro de 2006, os juízes do STF decidiram por unanimidade que a cláusula de 5% é inconstitucional. Embora as duas ações de inconstitucionalidade sobre a matéria (ajuizadas por PCdoB e PSC) sejam de 1995, a deliberação final do STF só veio após o pleito daquele ano. Assim, partidos e eleitores foram votar com a informação de que a nova regra entraria em vigor, mas se surpreenderam com a decisão da Corte de suspendê-la depois que foram proclamados os resultados do pleito.[6] O principal argumento apresentado pelos magistrados é que a cláusula de 5% feria o direito de representação de minorias, o princípio da proporcionalidade e da igualdade de voto do eleitor.* Adicionalmente, o STF considerou inconstitucionais outros trechos da lei de 1995, que condicionavam o acesso aos meios de comunicação e ao Fundo Partidário a certo desempenho eleitoral do partido.

Ainda que não fosse uma cláusula de barreira, era provável que a cláusula de 5% prevista para entrar em vigor a partir de 2007 tivesse por efeito dissuadir a criação de novos partidos e possivelmente estimular a fusão de partidos já existentes. Mas, como vimos no Capítulo 4, essa legislatura e as seguintes conheceriam o processo inverso: um aumento crescente da fragmentação partidária.

Durante muitos anos fui contra a introdução de uma cláusula de barreira nacional. Acreditava que o quociente eleitoral dos estados já significava uma barreira razoável. Contudo, diante da hiperfragmentação do quadro partidário, aprofundada nos anos 2010, eu mudei de opinião. Hoje acredito que introduzir uma cláusula de barreira nacional é a melhor opção para reduzir de imediato a fragmentação. Minha sugestão é que um patamar de

---

*A rigor, todos os argumentos para julgar inconstitucional a cláusula de funcionamento parlamentar da lei de 1995 podem ser utilizados para considerar também inconstitucional o quociente eleitoral – empregado desde 1945 como cláusula de barreira nos estados.

TABELA 8. Distribuição de cadeiras da Câmara dos Deputados em 2014 (eleições e simulação com novas regras)*

Partido	% de votos nas eleições de 2014	(1) Cadeiras nas eleições de 2014	(2) Cadeiras com as novas regras	Diferença entre (2) e (1)
PT	14,0	68	91	+23
PMDB	11,1	66	82	+18
PSDB	11,1	54	66	+12
PSB	6,5	34	40	+6
PP	6,4	38	39	+1
PSD	6,2	36	36	0
PR	5,8	34	29	−5
PRB	4,6	21	17	−4
DEM	4,2	21	19	−2
PTB	4,0	25	19	−6
PDT	3,6	19	17	−2
SD	2,7	15	10	−5
PSC	2,5	13	11	−2
PV	2,1	8	8	0
Pros	2,0	11	9	−2
PCdoB	2,0	10	7	−3
PPS	2,0	10	7	−3
PSOL	1,8	5	6	+1
PHS	1,0	5	–	−5
PRP	0,8	3	–	−3
PSL	0,8	1	–	−1
PTdoB	0,8	2	–	−2
PTN	0,7	4	–	−4
PEN	0,7	2	–	−2
PMN	0,5	3	–	−3
PSDC	0,5	2	–	−2
PRTB	0,5	1	–	−1
PTC	0,4	2	–	−2

* A simulação levou em conta três critérios: a existência de uma cláusula de barreira nacional de 1,5%; a proibição de coligações; a possibilidade de os partidos que não atingiram o quociente eleitoral disputarem as cadeiras.

Fonte dos dados brutos: Tribunal Superior Eleitoral.

1,5% já produziria bons resultados.* Eventualmente, esse patamar poderia ser escalonado para aumentar em eleições futuras. A ideia é que a cláusula seja usada apenas nas eleições para a Câmara dos Deputados. No âmbito dos estados e das Câmaras Municipais a redução da fragmentação seria assegurada pela entrada em vigor da proibição de coligações.

A Tabela 8 mostra o resultado da simulação de como seria a composição da Câmara dos Deputados caso as regras sugeridas (fim da coligação, fim da cláusula de barreira nos estados e adoção de uma cláusula nacional de 1,5%) estivessem em vigor nas eleições de 2014. Dez partidos ficariam de fora da Câmara dos Deputados, reduzindo assim o total de legendas representadas de 28 para dezoito. Embora o total de cadeiras dos partidos excluídos seja apenas de 25, outro efeito da adoção das novas regras seria a concentração da representação: os quatro maiores partidos teriam um aumento expressivo de suas bancadas, que somadas passariam de 226 para 279 deputados.**

Nova forma de escolha de deputados na lista?

No debate político brasileiro, a lista aberta é frequentemente criticada por duas razões. A primeira é que ela confere muito

---

* A opção por 1,5% derivou de análises das três ultimas eleições para a Câmara dos Deputados. O patamar é suficiente para reduzir a dispersão partidária na Câmara sem ameaçar os diversos partidos que recebem entre 3 e 5%. Acredito que esse patamar relativamente baixo, comparado ao de outros países, pode facilitar a aprovação da medida.
** Dos dez partidos que seriam excluídos pelos efeitos das novas regras, seis deles já não tinham sequer um representante em abril de 2006: PMN, PRP, PSDC, PTC, PRTB e PSL. Ver Gráfico 9, p.79.

peso aos candidatos em detrimento dos partidos. A segunda é sua incapacidade de garantir que todas as regiões de um estado tenham "seus representantes" no Legislativo.[7]

Entre os tipos de representação proporcional, o modelo de lista aberta é o que mais estimula a competição entre os candidatos durante a campanha e o que menos incentiva a propaganda partidária. Ao contrário da lista fechada, em que os eleitores só votam no partido, ou da lista flexível, em que os votos de legenda são transferidos para os primeiros nomes da lista, no modelo em vigor no Brasil o voto de legenda contribui apenas para definir quantas cadeiras cada partido (ou coligação) receberá. Os candidatos de cada lista sabem que o número de cadeiras que o partido ocupará será menor que o de nomes apresentados; por isso, eles são estimulados a pedir votos para si, com o propósito de chegar à frente de seus colegas. Nas campanhas, é frequente ouvirmos candidatos a deputado e a vereador relatarem conflitos com outros nomes de sua própria lista por causa de disputas por determinadas "bases eleitorais".

Durante os debates promovidos ao longo das três últimas legislaturas, pude observar os esforços dos membros das comissões de reforma política para encontrar um novo modelo de lista que desse mais peso aos partidos. A lista fechada é vista com muita desconfiança pelos deputados, que temem ficar longe das primeiras posições, sobretudo nos diretórios estaduais nos quais eles não têm o controle da direção partidária. A lista flexível, embora ajude a dar mais peso às legendas, tem um inconveniente para os deputados: sua complexidade técnica parece não superar o benefício de contribuir para fortalecer os partidos.

A meu juízo, a lista flexível seria uma boa opção a ser testada no Brasil. Os partidos elaborariam a lista de seus candidatos antes do pleito, e os eleitores poderiam votar da mesma maneira que hoje. Caso concorde com a lista do partido, ele vota na legenda; se quiser privilegiar um nome, vota nesse candidato. Por meio de uma fórmula matemática se estabelece uma regra para assegurar a eleição de candidatos com votação significativa e para transferir os votos da legenda para os primeiros nomes da lista. Tive a oportunidade de apresentar essa proposta por três vezes na Câmara dos Deputados, mas a ideia não foi acolhida com muito entusiasmo.[8]

Outra crítica que é tradicionalmente feita à lista aberta é que ela não garante que todas as regiões de determinado estado tenham representantes com vínculos mais diretos (domicílio eleitoral, carreira política) com sua localidade. Diversas vezes, grandes municípios não elegem representantes (pois dispersam o voto entre muitos candidatos), enquanto pequenos municípios, por concentrarem o voto em um número reduzido de candidatos, acabam por elegê-los. Sem contar que os padrões não são seguidos em duas eleições consecutivas. Ainda que haja uma tendência para que os deputados procurem estrategicamente ocupar os territórios "sem representação", a ausência de um deputado nativo é vista como problema pelos moradores de cidades do interior e de bairros das grandes cidades nas eleições para vereador.

Não conheço nenhuma democracia que tenha combinado a lista aberta com algum mecanismo para assegurar a representação territorial.* Talvez porque a lista aberta seja empregada

---

* A criação de pequenos distritos eleitorais com um número reduzido de representantes (entre cinco e oito) nos grandes estados seria uma opção (ver Amorim Neto, Cortez e Pessoa, 2011). A proposta assegura que todas as regiões terão representantes na Câmara dos Deputados, mas compreende uma série de decisões que podem afetar a representatividade dos partidos: delineamento dos distritos eleitorais, fórmulas matemáticas que serão utilizadas e até o uso de cláusula de barreira nos distritos.

exclusivamente em democracias com território e população bem mais reduzidos que os do Brasil: Polônia, Peru, Finlândia e Dinamarca, entre outros.

Salvo entre os defensores do voto distrital, o tema da representação territorial não apareceu como uma das razões fortes para a reforma do sistema eleitoral em debate nos últimos anos no Brasil. De qualquer modo, a melhor opção para responder a essa demanda é a adoção de um modelo de representação proporcional, como usado na Alemanha, Nova Zelândia e Escócia, que assegura que uma parte dos deputados é escolhida em circunscrições (distritos) relativamente reduzidas, cada uma delas elegendo um representante.[9]

Registro de partidos, acesso ao tempo de rádio e TV e ao Fundo Partidário

Registro de partidos

Com algumas poucas exceções (entre elas França e Suécia), todas as democracias estabelecem alguns requisitos para que os partidos sejam registrados e, desse modo, possam participar das eleições. As exigências variam, mas é frequente pedir que eles apresentem um programa, um estatuto, a lista de seus dirigentes e determinado número de eleitores em apoio à nova agremiação.[10]

No Brasil, o partido deve estar previamente registrado no TSE para poder disputar uma eleição. Nos primeiros anos após o retorno à democracia, o registro de partidos foi regulado por uma lei sobrevivente do Regime Militar (lei nº 6.767, de 1979), que estabelecia uma distinção entre partidos com registro provisório e com registro definitivo. Para obter o registro provisório, os partidos deveriam apresentar apenas seu programa e estatuto, a lista de pelo menos 101 fundadores e uma comissão diretora nacional composta por sete a onze membros. Para a obtenção do registro definitivo, eles eram obrigados a organizar convenções em um número expressivo de estados (nove) e em pelo menos 20% dos municípios desses estados.

Entre 1985 e 1994, 67 partidos participaram das eleições – nesse total não estão incluídas as mudanças de nome e as fusões que levaram à adoção de novo nome. A maior parte desses partidos foi organizada por indivíduos sem experiência partidária prévia e sem expressão na política nacional. O caráter efêmero dos partidos é evidenciado pelo número reduzido de eleições em que cada um deles participou: uma eleição (31 legendas), duas eleições (5 legendas) ou três eleições (8 legendas); ou seja, apenas 23 legendas disputaram mais de quatro das sete eleições realizadas no período (ver a lista completa nos Anexos 5 e 6).

O que explicaria essa explosão de legendas no país? A possibilidade de que os partidos com registro provisório pudessem participar das eleições provavelmente foi um fator decisivo. Embora a lei estabelecesse uma diferenciação entre partidos provisórios (exigências de registro moderadas) e definitivos (exigências mais rigorosas), ela teve pouco efeito, já que até as eleições de 1994 os partidos com registro provisório puderam concorrer.*

---

* Nas eleições de 1994, os partidos com registro provisório e que tinham um deputado na promulgação da lei (setembro de 1993) puderam participar (artigo 5, lei nº 8.713).

As regras para registro de partidos mudaram em 1995 (lei nº 9.096). Desde então, para ser registrada, a nova agremiação necessita obter um número expressivo de apoio dos eleitores, comprovado por meio de assinaturas – pelo menos 0,5% dos votos válidos (excluindo brancos e nulos) nas eleições para a Câmara dos Deputados, distribuídos por pelo menos nove estados, com o mínimo de 0,1% do eleitorado de cada estado.*
Desde então, vinte partidos obtiveram registro. É interessante observar que dez seguiram o requerimento das assinaturas, enquanto outros dez acabaram se beneficiando da regra de transição da nova lei.** O fato de em vinte anos apenas dez partidos terem conseguido se registrar colhendo assinaturas dos eleitores demonstra que os requisitos para a criação de partidos no Brasil são relativamente exigentes. Desse modo, a sensação de que o Brasil tem partidos em demasia não deriva de "normas excessivamente liberais" para o registro, como é sugerido com frequência por alguns analistas.

Acesso ao horário eleitoral e ao Fundo Partidário

Uma característica do sistema representativo brasileiro é a facilidade com que os partidos têm acesso à propaganda de rádio

---

* Nas eleições para a Câmara dos Deputados de 2014 o total de votos válidos foi de 97.263.161. Assim, até as eleições seguintes, se um grupo de cidadãos quiser criar um partido precisa obter o apoio de 0,5% desse total (486.315 assinaturas).
** A nova lei (lei nº 9.096), nas disposições transitórias (artigo 55), garantiu aos partidos que estavam em processo de formação o registro definitivo. Foram beneficiados por essa norma: PSTU, PRTB, PTN, PAN, PSDC, PCO, PGT, PSL, PCB e PSN.

e TV e aos recursos do Fundo Partidário. Até 1994, bastava ter registro provisório para participar da propaganda eleitoral gratuita. Esse benefício foi utilizado, por exemplo, por Fernando Collor de Mello em 1989. Apesar de concorrer por um partido com registro provisório (o Partido da Reconstrução Nacional, PRN), ele teve um tempo significativo de propaganda no horário eleitoral gratuito. A Lei dos Partidos, de 1995, manteve o acesso das legendas registradas à propaganda política, tanto as que acontecem durante as eleições (propaganda eleitoral) quanto as transmitidas fora dos semestres eleitorais (propaganda partidária).

Com a criação do novo Fundo Partidário, desde 1995 as legendas passaram a receber recursos significativos para sua manutenção. As regras para distribuição dos recursos mudaram ao longo do tempo, mas sempre se assegurou que todos os partidos com registro recebessem um valor mínimo. Atualmente, 5% dos recursos são distribuídos igualmente entre eles, e 95% são concedidos proporcionalmente à votação obtida nas últimas eleições para a Câmara dos Deputados. Em 2015, os partidos receberam R$811 milhões do Fundo Partidário. Mesmo os três partidos criados naquele ano (Partido Novo, Rede Sustentabilidade e Partido da Mulher Brasileira) entraram no rateio.[11]

O montante do Fundo Partidário recebido pelos micropartidos é expressivo. Nas eleições para a Câmara dos Deputados de 2014, treze partidos receberam menos de 1% dos votos (a soma de seus votos chega a 6% do total). No ano seguinte, esses mesmos partidos receberam somados R$63 milhões do Fundo Partidário e ainda tiveram direito a propaganda partidária nos meios de comunicação – que também é paga pelos cidadãos, já que os canais de rádio e TV têm renúncia fiscal pelo uso desse tempo.

Um passo importante é estabelecer uma distinção entre o registro partidário, o acesso aos recursos do Fundo Partidário e a propaganda eleitoral e partidária. É descabido que a sociedade financie organizações que não conseguem um mínimo de apoio eleitoral. Minha sugestão é que apenas os partidos que ultrapassem um patamar mínimo de votos nas eleições para a Câmara (1,5% de votos, por exemplo) tenham acesso a esses recursos.*

Perda de mandato para os políticos que abandonam o partido pelo qual foram eleitos

Em decorrência de uma decisão da Justiça Eleitoral, desde 2007 os representantes que trocam de partido sem justificativa perdem o mandato (ver Capítulo 4). Foram já centenas de políticos que perderam seus mandatos após julgamento nos TREs e no TSE. Depois que a nova regra foi aprovada, a única decisão do Congresso sobre o tema foi sancionar uma emenda constitucional que flexibilizou a norma, permitindo a livre troca durante um mês em 2016.

É importante que o Congresso incorpore a deliberação da Justiça Eleitoral na legislação partidária e evite a promulgação de decisões casuísticas como a "janela partidária" de 2016. As

---

* Eventualmente, pode-se pensar em algum mecanismo para assegurar que novas legendas tenham algum tempo de rádio e TV na primeira eleição em que apresentarem candidatos.

leis podem ser mais detalhadas ao definir as situações em que as trocas são justificadas. Hoje, orientada por um texto vago, a Justiça Eleitoral acabou se transformando num tribunal que avalia se as motivações alegadas para a troca demandam ou não punição com a perda de mandato.

Correção periódica das bancadas dos estados na Câmara dos Deputados

Como vimos no Capítulo 5, a opção de todas as Constituições da República foi explicitamente favorecer a representação, na Câmara dos Deputados, dos estados com populações mais reduzidas e, a partir de 1934, prejudicar os estados mais populosos. Esse é um tema que praticamente ficou de fora do debate sobre a reforma política nas duas últimas décadas. Mas não há razão para que persistam as distorções entre os estados não afetados atualmente pela regra do piso (oito representantes) e do teto (setenta deputados). Na Tabela 9, os estados aparecem em ordem decrescente segundo seu contingente populacional; no entanto, se observarmos a terceira coluna, é possível perceber que há estados com mais cadeiras que outros, embora com população numericamente inferior. A sugestão é simples: após a divulgação de cada Censo Demográfico, seria feita uma nova distribuição de cadeiras da Câmara levando em conta a população residente nos estados.

A Tabela 9 apresenta uma nova distribuição das cadeiras da Câmara dos Deputados segundo a população de 2010. O cálculo das cadeiras foi feito em dois tempos. Inicialmente, foram alocadas as cadeiras dos estados afetados pelas regras

TABELA 9. Proposta de distribuição de cadeiras da Câmara dos Deputados segundo a população dos estados (2010)

Estado	População (2010)	(1) Cadeiras (2014)	(2) Cadeiras pela proposta (2014)	Diferença entre (2) e (1)
São Paulo	41.262.199	70	70	0
Minas Gerais	19.597.330	53	54	+1
Rio de Janeiro	15.989.929	46	44	−2
Bahia	14.016.906	39	39	0
Rio Grande do Sul	10.693.929	31	29	−2
Paraná	10.444.526	30	29	−1
Pernambuco	8.796.448	25	24	−1
Ceará	8.452.381	22	23	+1
Pará	7.581.051	17	21	+4
Maranhão	6.574.789	18	18	0
Santa Catarina	6.248.436	16	17	+1
Goiás	6.003.788	17	16	−1
Paraíba	3.766.528	12	10	−2
Espírito Santo	3.514.952	10	10	0
Amazonas	3.483.985	8	10	+2
Rio Grande do Norte	3.168.027	8	9	+1
Alagoas	3.120.494	9	9	0
Piauí	3.118.360	10	9	−1
Mato Grosso	3.035.122	8	8	0
Distrito Federal	2.570.160	8	8	0
Mato Grosso do Sul	2.449.024	8	8	0
Sergipe	2.068.017	8	8	0
Rondônia	1.562.409	8	8	0
Tocantins	1.383.445	8	8	0
Acre	733.559	8	8	0
Amapá	669.526	8	8	0
Roraima	450.479	8	8	0
Brasil	**190.755.799**	**513**	**513**	**0**

Fonte dos dados brutos: Tribunal Superior Eleitoral.

da representação mínima (Roraima, Amapá, Acre, Tocantins, Rondônia, Sergipe, Distrito Federal e Mato Grosso do Sul) e máxima (São Paulo). Do total de 513 cadeiras da Câmara, foram subtraídas 134 desses estados: 64 dos oito estados beneficiados pela regra do piso de oito representantes e setenta de São Paulo (único prejudicado pela regra do teto). As 379 cadeiras restantes foram distribuídas proporcionalmente para os outros estados.*

Embora as alterações sejam mínimas, sobretudo se comparadas às perdas de São Paulo e à sobrerrepresentação dos pequenos estados, elas garantem uma "regra de ouro": quando comparamos dois estados, aquele com menos população não pode ter mais representantes que o de maior população.

Em resumo, uma "agenda minimalista" de reforma da legislação partidária e eleitoral incluiria os seguintes pontos:

- Fim das coligações nas eleições para deputado federal, deputado estadual e vereador.
- Possibilidade de que os partidos que não atingiram o quociente eleitoral nas eleições proporcionais disputem as cadeiras das sobras.
- Adoção de uma cláusula de barreira nacional de 1,5%.
- Manutenção da regra de registro de novos partidos.
- Acesso ao Fundo Partidário e ao horário eleitoral gratuito apenas para os partidos que atingiram 1,5% de votos nas eleições para a Câmara dos Deputados.

---

* Utilizei uma fórmula simples para o cálculo. As cadeiras foram alocadas inicialmente segundo um quociente; as sobras, segundo uma regra de arrendamento-padrão: acima da fração de 0,5, o estado conquista uma cadeira a mais.

- Manutenção da regra que pune com a perda de mandato os políticos que abandonem o partido pelo qual foram eleitos.
- Correção das bancadas dos estados da Câmara dos Deputados após a realização de cada Censo Demográfico.

Anexos

ANEXO 1. Percentual de votos necessários para um partido participar da distribuição de cadeiras na Câmara dos Deputados (2014)

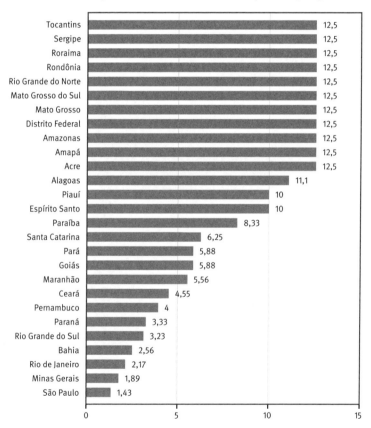

ANEXO 2. Votação do sistema misto
na Assembleia Nacional Constituinte (1988)

Partido	Contra	A favor	Abstenção	Total
PMDB	178	81	5	264
PFL	82	32	4	118
PDS	14	19	1	34
PDT	26	–	–	26
PTB	10	5	–	15
PT	14	–	–	14
PL	3	2	1	6
PCdoB	5	–	–	5
PDC	1	3	–	4
PCB	3	–	–	3
PSB	2	–	–	2
PSD	1	–	–	1
PMB	1	–	–	1
TOTAL	340	142	11	493

Fonte: *Diário da Assembleia Nacional Constituinte*, ano 2, n.205, 15 mar 1988, p.92.

Anexos

ANEXO 3. Votação da lista fechada (Câmara dos Deputados, abril de 2007)

Partidos	Contra	A favor	Abstenção	Total
PMDB	42	33	2	77
PT	1	72	1	74
DEM	8	42	1	51
PSDB	42	8	–	50
PP	34	2	–	36
PR	35	–	–	35
PDT	22	–	–	22
PSB	18	4	–	22
PTB	17	1	–	18
PCdoB	–	13	–	13
PPS	6	4	–	10
PV	10	–	–	10
PSC	6	–	–	6
PMN	4	–	–	4
PSOL	–	3	–	3
PHS	2	–	–	2
PRB	1	–	–	1
Sem partido	2	–	–	2
Total	251	182	–	437

Fonte: Secretaria Geral da Mesa, Câmara dos Deputados.

Anexo 4. Votação do distritão (Câmara dos Deputados, maio de 2015)

Partido	Contra	A favor	Abstenção	Total
PT	62	–	1	63
PMDB	13	48	–	61
PSDB	26	21	2	49
PP	4	34	–	38
PR	31	–	–	31
PSB	25	5	–	30
PSD	16	13	–	29
PTB	3	21	–	24
PRB	20	–	–	20
DEM	4	15	–	19
PDT	17	–	1	18
SD	6	10	1	17
PCdoB	–	13	–	13
Pros	8	4	–	12
PSC	3	8	–	11
PPS	9	1	–	10
PV	5	3	–	8
PHS	–	5	–	5
PSOL	4	–	–	4
PTN	3	1	–	4
PMN	2	1	–	3
PRP	1	2	–	3
PEN	–	2	–	2
PSDC	1	1	–	2
PTC	2	–	–	2
PTdoB	2	–	–	2
PRTB	–	1	–	1
PSL	–	1	–	1
Total	267	210	5	482

Fonte: Secretaria Geral da Mesa, Câmara dos Deputados.

Anexos

ANEXO 5. Partidos brasileiros registrados em 2016

Sigla	Nome	Eleições que disputou entre 1985 e 2016	Número total de eleições que disputou
PP[1]	Partido Progressista	1985-2016	18
PDT	Partido Democrático Trabalhista	1985-2016	18
PT	Partido dos Trabalhadores	1985-2016	18
PTB[2]	Partido Trabalhista Brasileiro	1985-2016	18
PMDB	Partido do Movimento Democrático Brasileiro	1985-2016	18
PSC	Partido Social Cristão	1985-2016	18
PR[3]	Partido Republicano	1985-2016	18
PPS[4]	Partido Popular Socialista	1985-2016	18
PCdoB	Partido Comunista do Brasil	1985-2016	18
DEM[5]	Democratas	1985-2016	18
PTC[6]	Partido Trabalhista Cristão	1985-2016	18
PSB	Partido Socialista Brasileiro	1985-2016	18
PMN	Partido da Mobilização Nacional	1985-92; 1996-2016	17
PSDB	Partido da Social Democracia Brasileira	1988-2016	16
PV	Partido Verde	1988-89; 1992-2016	15
PRP	Partido Republicano Progressista	1988; 1990-2016	15
PTdoB	Partido Trabalhista do Brasil	1990-2016	14
PCB[7]	Partido Comunista Brasileiro	1992-2016	13
PSTU	Partido Socialista dos Trabalhadores Unificados	1994-2016	12
PRTB[8]	Partido Renovador Trabalhista Brasileiro	1994-2016	12
PTN	Partido Trabalhista Nacional	1996-2016	11
PSDC	Partido Social-Democrata Cristão	1996-2016	11
PCO	Partido da Causa Operária	1996-2016	11
PSL	Partido Social Liberal	1996; 2000-16	10

Sigla	Nome	Eleições que disputou entre 1985 e 2016	Número total de eleições que disputou
PHS[9]	Partido Humanista da Solidariedade	1996-98; 2002-16	10
PRB	Partido Republicano Brasileiro	2006-16	6
PSOL	Partido Socialismo e Liberdade	2006-16	6
PSD	Partido Social Democrático	2014-16	2
PPL	Partido Pátria Livre	2014-16	2
PEN	Partido Ecológico Nacional	2014-16	2
SD	Solidariedade	2014-16	2
Pros	Partido Republicano da Ordem Social	2014-16	2
Novo	Partido Novo	2016	1
Rede	Rede Sustentabilidade	2016	1
PMB	Partido da Mulher Brasileira	2016	1

1. Originalmente PDS. O PDS fundiu-se com o PDC em 1993, passando a se chamar Partido Progressista Reformador (PPR). O PPR fundiu-se com o PP em 1995, passando a se chamar Partido Progressista Brasileiro (PPB). Em 2003, o PPB trocou o nome para PP.
2. O PTB incorporou o PAN em 2007.
3. Originalmente PL. O PST e o PGT se incorporaram ao PL em 2003. O PL se fundiu ao Prona, passando a se chamar PR em 2006.
4. Originalmente PCB, passou a se chamar PPS em 1991.
5. Originalmente PFL, passou a se chamar DEM em 2007.
6. Originalmente PJ, passou a se chamar PRN em 1989, mudando novamente de nome para PTC em 2001.
7. Originalmente PC, passou a se chamar PCB em 1996.
8. Originalmente PTRB, passou a se chamar PRTB em 1996.
9. Originalmente PSN, passou a se chamar PHS em 1997.

Fonte dos dados brutos: Tribunal Superior Eleitoral.

ANEXO 6. Lista de partidos extintos que concorreram em pelo menos uma eleição no período 1985-2016

Sigla	Nome	Eleições que disputou entre 1985 e 2016	Número total de eleições que disputou
PPB	Partido do Povo Brasileiro	1985-89	3
PDC[1]	Partido Democrata Cristão	1985-92	5
PMC	Partido Municipalista Comunitário	1985-88	3
PH	Partido Humanista	1985-88	3
PTN[2]	Partido Trabalhista Nacional	1985-88	3
PMB	Partido Municipalista Brasileiro	1985-88	3
PN	Partido Nacionalista	1985, 1986, 1989	3
PTR[3]	Partido Trabalhista Renovador	1985-1994	7
Pasart	Partido Agrário Renovador Trabalhista	1985-88	3
PCN	Partido Comunitário Nacional	1985-92	6
PNR	Partido da Nova República	1986	1
PS	Partido Socialista	1986-88; 1990	4
PRT	Partido Reformador Trabalhista	1985-86	2
PND	Partido Nacionalista Democrático	1985-86	2
PRP	Partido Renovador Progressista	1985-86	2
PDI	Partido Democrático Independente	1985-86	2
PSD[4]	Partido Social Democrático	1988-2002	9
PSP	Partido Social Progressista	1988	1
Pnab	Partido Nacional dos Aposentados do Brasil	1988	1
PNA	Partido Nacional dos Aposentados	1988	1
PHN	Partido Humanista Nacional	1988	1
PST[5]	Partido Social Trabalhista	1989-94	4
PP	Partido do Povo	1989	1
PLP	Partido Liberal Progressista	1989	1
PDN	Partido Democrático Nacional	1989	1
Prona[6]	Partido de Reedificação da Ordem Nacional	1989-2006	10
PDCdoB	Partido Democrata Cristão do Brasil	1989	1
PSL	Partido do Solidarismo Libertador	1990	1
PBM	Partido Brasileiro de Mulheres	1990	1

Sigla	Nome	Eleições que disputou entre 1985 e 2016	Número total de eleições que disputou
PEB	Partido Estudantil Brasileiro	1990	1
PSU	Partido Socialista Unido	1990	1
PAP	Partido de Ação Progressista	1990	1
PNT	Partido Nacionalista dos Trabalhadores	1990	1
PD	Partido Democrata	1990	1
PLH	Partido Liberal Humanista	1990	1
PRS	Partido das Reformas Sociais	1990	1
PAS	Partido de Ação Social	1990	1
PSdoB	Partido Socialista do Brasil	1992	1
PTC	Partido Trabalhista Comunitário	1992	1
PMSD	Partido Municipalista Social Democrático	1992	1
PPN	Partido Parlamentarista Nacional	1992	1
PLT	Partido Liberal Trabalhista	1992	1
PCDN	Partido Cívico de Desenvolvimento Nacional	1992	1
PES	Partido Ecológico Social	1992	1
PNTB	Partido Nacionalista dos Trabalhadores do Brasil	1992	1
PLC	Partido Liberal Cristão	1992	1
PFS	Partido da Frente Socialista	1992	1
PST[7]	Partido Social Trabalhista	1996-2002	4
PAN[8]	Partidos dos Aposentados da Nação	1996-2006	4
PGT[9]	Partido Geral dos Trabalhadores	1996-2002	4

1. O PDC fundiu-se ao PDS em 1993.
2. Originalmente Partido Tancredista Nacional, passou a se chamar Partido Trabalhista Nacional em 1985.
3. O PTR fundiu-se ao PST em 1993 e passou a se chamar Partido Progressista (PP).
4. O PSD foi incorporado pelo PTB em 2002.
5. O PST fundiu-se com o PTR em 1993 e passou a se chamar Partido Progressista (PP).
6. O Prona fundiu-se ao PL em 2006, criando o PR.
7. O novo PST foi incorporado pelo PL em 2003.
8. O PAN foi incorporado ao PTB em 2007.
9. O PGT foi incorporado pelo PL em 2003.

Fonte dos dados brutos: Tribunal Superior Eleitoral.

Notas

Introdução (p.13-9)

1. Para a baixa representação dos contingentes de raça e gênero nas eleições de 2014, ver Bueno, 2015; Abreu, 2015.

2. Por que o voto em um candidato liberal ajudou a eleger uma deputada comunista (p.47-61)

1. Há muitos estudos sobre as coligações eleitorais no Brasil. Especificamente a respeito das coligações para a Câmara dos Deputados, ver Machado, 2012; Carreirão e Nascimento, 2010; Calvo, Guarnieri e Limongi, 2015.

3. Como escolher um deputado federal? (p.62-76)

1. A pesquisa do Instituto Datafolha foi realizada no dias 17 e 18 de setembro; disponível em: <g1.globo.com/politica/eleicoes/2014/blog/eleicao-em-numeros/post/sete-de-cada-dez-eleitores-nao-tem-voto-para-deputado-diz-datafolha.html>.
2. Os estudos sobre as eleições de deputados no Brasil usam com parcimônia as pesquisas de opinião. A maioria recorre a macrodados (dados eleitorais e censitários) e se concentra em dois tópicos. O primeiro é o padrão geográfico da votação dos candidatos (ver Carvalho, 2003; Silva, 2013). O segundo é o exame dos fatores que afetam as chances de os deputados com mandato serem reeleitos (ver Pereira e Renno, 2007; Castro e Nunes, 2006).
3. Dahl, 2012, p.25-32; Katz, 2011, p.100-6; Powell Jr., 2000, p.3-17.
4. Sobre memória do voto no Brasil, ver Almeida, 2006.
5. Sobre a identificação dos eleitores com os partidos, ver Carreirão e Kinzo, 2004; Veiga, 2007.

6. Para um inventário dos tipos de discurso dos candidatos no horário eleitoral gratuito, ver Miguel, 2010.
7. Ver Figueiredo e Limongi, 1995.

4. Como o Brasil passou a ter o Legislativo mais fragmentado do mundo? (p.77-95)

1. Ver Figueiredo e Limongi, 1995.
2. Dados disponíveis em: <en.wikipedia.org/wiki/List_of_British_politicians_who_have_crossed_the_floor>.
3. Sobre a migração partidária no Brasil, ver Melo, 2004; Freitas, 2012.
4. Ver Heller e Mershon, 2008.
5. Consulta n.1.398 – Classe 5ª – Distrito Federal (Brasília).
6. Trecho do voto do relator, Resolução 22.526 do Tribunal Superior Eleitoral, 27 mar 2007.
7. Para um excelente resumo das discussões sobre a aprovação da regra de fidelidade pelo TSE/STF, ver Marchetti, 2013, p.166-209.
8. Resolução 22.610/07 do TSE.
9. Janda, 2009.
10. Ver os dados em Marchetti, 2013, p.197-198.
11. Dados disponíveis em: Itália, <psephos.adam-carr.net/countries/i/italy/italy20131.txt>; Israel, <bechirot20.gov.il/election/English/kneset20/Pages/Results20_eng.aspx>; Bélgica, <psephos.adam-carr.net/countries/b/belgium/belgium2014.txt>.
12. Disponível em: <tcd.ie/Political_Science/staff/michael_gallagher/ElSystems/>.
13. Para diversas dimensões da formação do sistema partidário das democracias tradicionais na Europa, ver Mair, 2014.

5. Por que o voto de um eleitor de Roraima vale nove vezes o voto de um eleitor paulista? (p.96-118)

1. *Diário da Assembleia Nacional Constituinte*, ano 2, n.2015, 15 mar 1988, p.102.
2. Sobre a distorção no Senado, ver Backes, 1998.
3. Ver Katz, 2011; Dahl, 2012.

4. Ver Balinsky e Young, 2001. Sobre a alocação das cadeiras da Câmara dos Deputados nos Estados Unidos, ver ibid.; Ladewig e Jasinski, 2008.
5. Para uma análise das principais fórmulas utilizadas para alocar as cadeiras entre os estados, ver Bennett e Briggs, 2011, p.650-65.
6. Sobre as distorções da Câmara dos Deputados da Argentina, ver Rey-noso, 2004.
7. Para um quadro comparativo das distorções na representação regional em diversos países do mundo, ver Samuels e Snyder, 2001; Kamahara e Kasuya, 2014.
8. Resolução n.12.855, 1º jul 1986.
9. Capítulo 4 da Decisão n.57, 19 jun 1822.
10. Tavares Bastos, 1976, p.171-2.
11. Sobre o debate na Constituinte de 1946 a respeito desse tema, ver Souza, 1976; sobre a melhor defesa da desigualdade da representação dos estados na Câmara, ver Santos, 2003.
12. *Diário da Assembleia Nacional Constituinte*, ano 2, n.2015, 15 mar 1988, p.101.

6. Reforma política no Brasil: uma breve história (p.119-37)

1. Para uma defesa da agenda de reformas proposta pela Comissão Caiado, ver Reis, 2015.
2. Disponível em: <www1.folha.uol.com.br/folha/brasil/ult96u86108.shtml>.
3. Ver <oglobo.globo.com/brasil/comissao-da-reforma-politica-cancelada-votacao-sera-feita-no-plenario-16256077>.
4. Para uma excelente discussão sobre o "mito" de que reformas eleitorais não acontecem em regimes democráticos, ver Katz, 2005.

7. Uma reforma da legislação eleitoral e partidária para o Brasil (p.138-58)

1. Para uma visão mais engajada dos cientistas políticos em relação à crise das formas tradicionais de representação, ver Arriaga, 2015; Mair, 2013.
2. Sobre a comissão eleitoral do Reino Unido, ver <electoralcommission.org.uk/>.

3. A reforma política foi tema de diversos trabalhos de cientistas políticos nas últimas duas décadas. Para um resumo, ver duas excelentes coletâneas: Anastasia e Avritzer, 2006; Soares e Rennó, 2006.
4. Sobre a expansão da representação proporcional, ver Colomer, 2008.
5. Ver Nicolau, 2012, p.58-9.
6. Ver <stf.jus.br/portal/cms/verNoticiaDetalhe.asp?idConteudo=68591>.
7. Para um inventário das criticas à lista aberta, ver Klein, 2007.
8. Sobre a proposta de lista flexível, ver Nicolau, 2015.
9. Para uma explicação sobre esse modelo – conhecido na bibliografia internacional como *mixed member proporcional* e, no Brasil, como *sistema misto de correção* –, ver Nicolau, 2012, p.83-8. Ainda que eu o tenha classificado como uma variedade de sistema misto, seu princípio geral é manter a proporcionalidade entre votos e cadeiras dos partidos.
10. Ver Su, 2015.
11. Ver <justicaeleitoral.jus.br/arquivos/tse-distribuicao-do-fundo-partidario-duodecimos-2015-1429900293402>.

Referências bibliográficas

Abreu, Maria. "Mulheres e representação política". *Revista Parlamento e Sociedade*, v.3, n.5, 2015, p.27-44.

Almeida, Alberto. "Amnésia eleitoral: em quem você votou para deputado em 2002? E em 1998?". In Gláucio Ary Dillon Soares e Lucio R. Rennó (orgs.). *Reforma política: lições da história recente.* Rio de Janeiro, FGV Editora, 2006.

Amorim Neto, Octavio, Bruno Cortez e Samuel Pessoa. "Redesenhando o mapa eleitoral do Brasil: uma proposta de reforma política incremental". *Opinião Pública*, v.17, n.1, 2011, p.45-75.

Anastasia, Fátima e Leonardo Avritzer. *Reforma política no Brasil*. Belo Horizonte, Editora da UFMG, 2006.

Arriaga, Manuel. *Reinventar a democracia: cinco ideias para um futuro diferente*. Lisboa, Barcarena, 2015.

Backes, Ana Luíza. "Democracia e sobrerrepresentação de regiões: o papel do Senado". Dissertação de mestrado, Brasília, UnB, 1998.

Balinsky, Michel L. e H. Peyton Young. *Fair Representation: Meeting the Ideal of One Man, One Vote*. Washington, D.C., Brookings Institution Press, 2001.

Bastos, Aureliano Tavares. *Os males do presente e a esperança do futuro*. São Paulo, Cia. Editora Nacional, 1976.

Bennett, Jeffrey e William Briggs. *Using and Understanding Mathematics*. Boston, Pearson, 2011.

Bueno, Natália S. "Cor e representação nas eleições de 2014". *Revista Parlamento e Sociedade*, v.3, n.5, 2015, p.45-63.

Calvo, Ernesto, Fernando Guarnieri e Fernando Limongi. "Why coalitions? Party system fragmentation, small party bias, and preferential vote in Brazil". *Electoral Studies*, n.39, 2015, p.219-29.<doi:10.1016/j.electstud.2015.03.012>.

Carreirão, Yan. *A decisão do voto nas eleições presidenciais brasileiras*. Rio de Janeiro, FGV Editora, 2002.

Carreirão, Yan e Maria D'Alva Kinzo. "Partidos políticos, preferência partidária e decisão eleitoral no Brasil (1989-2002)". *Dados*, v.47, n.1, 2004, p.131-68.

Carreirão, Yan Souza e Fernanda Paula do Nascimento. "As coligações nas eleições para os cargos de governador, senador, deputado federal e deputado estadual no Brasil (1986-2006)". *Revista Brasileira de Ciência Política*, n.4, jul-dez 2010, p.75-104.

Carvalho, Nelson Rojas de. *E no início eram as bases: geografia política do voto e do comportamento político no Brasil*. Rio de Janeiro, Revan, 2003.

Castro, Mônica Mata Machado de e Felipe Nunes. "Candidatos corruptos são punidos: *accountability* na eleição brasileira de 2006". *Opinião Pública*, v.20, n.1, 2014, p.26-48.

Colomer, Josep M. "The invisible hand in institutional design". Conference on Designing Democratic Institutions. Barcelona, 2008.

Dahl, Robert A. *Poliarquia: participação e oposição*. São Paulo, Edusp, 1997.

_____. *A democracia e seus críticos*. São Paulo, Martins Fontes, 2012.

Figueiredo, Argelina Cheibub e Fernando Limongi. "Partidos políticos na Câmara dos Deputados (1989-93)". *Dados*, v.38, n.3, 1995.

Freitas, Andréa. "Migração partidária na Câmara dos Deputados de 1987 a 2009". *Dados*, v.55, n.4, 2012, p.951-86.

Gomes, Ana Lúcia Henrique Teixeira. "Rebeldes com causa? Investigando o multipartidarismo e a fragmentação partidária na Câmara dos Deputados sob a Nova Lei Orgânica dos Partidos". Tese de doutorado. Universidade Federal de Goiás, 2016.

Heller, William B. e Carol Mershon. "Dealing in discipline: Party switching and legislative voting in the Italian Chamber of Deputies, 1988-2000". *American Journal of Political Science*, v.52, n.4, 2008, p.910-25.

Janda, Kenneth. "Laws against Party switching, defecting, or floor-crossing in national Parliaments". World Congress of the International Political Science Association. Santiago, 2009, p.1-28.

Kamahara, Yuta e Yuko Kasuya. "The state of malapportionment in the world: one person, one vote?". Annual Conference of the Australian Political Studies Association. Sidney, 2014.

Katz, Richard S. "Why are there so many (or so few) electoral reforms". In Michael Gallagher e Paul Mitchell (orgs.). *The Politics of Electoral Systems*. Oxford, Oxford University Press, 2005, p.57-76.

_____. *Democracy and Elections*. 2011; disponível em: <doi:10.1093/acpro f:oso/9780195044294.001.0001>.

Klein, Cristian. *O desafio da reforma política: consequências dos sistemas eleitorais de lista aberta e fechada*. Rio de Janeiro, Mauad X, 2007.

Ladewig, Jeffrey W. e M.P. Jasinski. "On the causes and consequences of and remedies for interstate malapportionment of the U.S. House of Representatives". *Perspectives on Politics*, v.6, n.1, 2008, p.89-107.

Machado, Aline. *Alianças eleitorais: casamento com prazo de validade*. Rio de Janeiro, Campus, 2012.

Mair, Peter. *Peter Mair-Ruling The Void: The Hollowing Of Western Democracy*. Londres, Verso, 2013.

_____. *On Parties, Party Systems and Democracy*. Essex, ECPR Press, 2014.

Marchetti, Vitor. *Justiça e competição eleitoral*. Santo André, UFABC, 2013.

Melo, Carlos Ranulfo. *Retirando as cadeiras do lugar: migração partidária na Câmara dos Deputados (1985-2002)*. Belo Horizonte, Editora da UFMG, 2004.

Miguel, Luis Felipe. "Apelos discursivos em campanhas proporcionais na televisão". *Política e Sociedade*, v.9, n.6, 2010, p.151-75.

Nicolau, Jairo. *Multipartidarismo e democracia: um estudo sobre o sistema partidário brasileiro, 1985-94*. Rio de Janeiro, FGV Editora, 1996.

_____. "As distorções na representação dos estados na Câmara dos Deputados brasileira". *Dados*, v.40, n.3, 1997.

_____. "O sistema eleitoral de lista aberta no Brasil". *Dados*, v.49, n.4, 2006, p.689-720.

_____. *Eleições no Brasil: do Império aos dias atuais*. Rio de Janeiro, Zahar, 2012.

_____. *Sistemas eleitorais*. 6ª ed. Rio de Janeiro, FGV Editora, 2012a.

_____. "Como aperfeiçoar a representação proporcional no Brasil". *Revista Cadernos de Estudos Sociais e Políticos*, v.4, n.7, 2015, p.101-21.

_____. "Nem partido, nem memória", 2016 (mimeo).

Pereira, Carlos e Bernardo Mueller. "Partidos fracos na arena eleitoral e partidos fortes na arena legislativa: a conexão eleitoral no Brasil". *Dados*, v.46, n.4, 2003, p.265-301.

Pereira, Carlos e Lucio Renno. "O que é que o reeleito tem? O retorno: o esboço de uma teoria da reeleição no Brasil". *Revista de Economia Política*, v.27, n.4, 2007, p.664-83.

Powell Jr., G. Bingham. *Elections as Instruments of Democracy: Majoritarian and Proportional Visions*. New Haven, Yale University Press, 2000.

Renwick, Alan. *A Citizen's Guide to Electoral Reform*. Londres, Biteback, 2011.

Reis, Bruno Wanderley. "Desconcentrar o sistema concentrando prerrogativas: a ordenação da lista e a democracia no Brasil". In Marcos Ianoni (org.). *Reforma política e democrática*. São Paulo, 2015, p.121-42.

Reynoso, Diego. "Bicameralismo y sobre-representación en Argentina en perspectiva comparada". *Revista Saap*, v.2, n.1, 2004, p.69-94.

Samuels, David. "Determinantes do voto partidário em sistemas eleitorais centrados no candidato: evidências sobre o Brasil". *Dados*, v.40, n.3, 1997, p.493-535.

Samuels, David e Richard Snyder. "The value of a vote: malapportionment in comparative perspective". *British Journal of Political Science*, v.31, n.4, 2001, p.651-71.

Santos, Wanderley Guilherme dos. *O cálculo do conflito: estabilidade e crise na política brasileira*. Belo Horizonte, Editora da UFMG, 2003.

Silva, Glauco Peres da. "Uma avaliação empírica da competição eleitoral para a Câmara Federal no Brasil". *Opinião Pública*, v.19, n.2, 2013, p.403-29.

Singer, André. *Os sentidos do lulismo*. São Paulo, Companhia das Letras, 2012.

Soares, Gláucio Ary Dillon e Lucio Rennó. *Reforma política: lições da história recente*. Rio de Janeiro, FGV Editora, 2006.

Souza, Maria do Carmo Campello de. *Estado e partidos políticos no Brasil*. São Paulo, Alfa-Omega, 1976.

Su, Yen Pin. "Party registration rules and party systems in Latin America". *Party Politics*, v.21, n.2, 2015, p.295-308.

Taagepera, Rein e Matthew S. Shugart. *Seats and Votes: The Effects and Determinants of Electoral Systems*. New Haven, Yale University Press, 1989.

Veiga, Luciana Fernandes. "Mudanças e continuidades na identificação partidária e na avaliação das principais legendas após 2002". *Opinião Pública*, v.13, n.2, 2007, p.340-65.

Zucco Jr., Cesar e Jairo Nicolau. "Trading old errors for new errors? The impact of electronic voting technology on party label votes in Brazil". *Electoral Studies*, n.43, 2015, p.1-31.

Agradecimentos

No passado, era comum chamar as editoras de "casa editorial". Só depois de ser publicado pela Zahar compreendi todo o sentido da expressão. Sou muito grato à Cristina Zahar pela acolhida e confiança no projeto deste livro, que foi apresentado quando ainda sequer tinha uma linha escrita; à Angela Vianna pelo excelente trabalho de revisão; à Clarice Zahar pelo incansável trabalho editorial para tornar o livro mais inteligível para os leitores comuns.

Agradeço a Paulo Leal pela leitura cuidadosa e pelas sugestões para tornar alguns dos meus argumentos mais claros.

Sou grato à Joana pelo apoio de tantos anos, pelo carinhoso incentivo e pela paciência de ouvir algumas ideias em nossas "caminhadas em debate".

A marca FSC® é a garantia de que a madeira utilizada na fabricação do papel deste livro provém de florestas de origem controlada e que foram gerenciadas de maneira ambientalmente correta, socialmente justa e economicamente viável.

Este livro foi composto por Mari Taboada em Dante Pro 11,5/15,5 e impresso em papel offwhite 80g/m² e cartão triplex 250g/m² por Intergraf em janeiro de 2017.

Publicado no ano do 60º aniversário da Zahar, editora fundada sob o lema "A cultura a serviço do progresso social".